Haruka Ayase

景気をよくする人気女優

綾瀬はるかの成功術

Ryuho Okawa

大川隆法

まえがき

なんでこんなに人気があるんだろう。いろいろな映像を観《み》てもわからない。顔が売れすぎているので、今は、何を観ても「綾瀬はるか」に見えてしまうのだが。

ボロ切れをまとったような女座頭市《おんなざとういち》（ＩＣＨＩ）を最後までやってのけるところをみると「チョット参った」という感じになるし、美人女優なら他にもいっぱいいるのにと思いつつも、若い頃に「僕の彼女はサイボーグ」を演じているのを見て、昔の綾瀬はるかはもっと美人だったのか、と驚いてしまう。「おっぱいバレー」では最後まで気を持たせるし、「ホタルノヒカリ」では、亭主役の俳優が気の毒で、感情移入する。自然体風に演じて観客を魅《ひ》き込んでいく技は、かなり高段者のものなのだろう。

読者が、本書で彼女の成功術を見つけ出して、自分のものにして下さることを願う。

二〇一五年　三月三十一日

幸福《こうふく》の科学《かがく》グループ創始者兼総裁《そうししゃけんそうさい》　大川隆法《おおかわりゅうほう》

景気をよくする人気女優
綾瀬はるかの成功術

Contents

景気をよくする人気女優　綾瀬《あやせ》はるかの成功術

二〇一五年二月十日　収録
東京都・幸福の科学　教祖殿《きょうそでん》　大悟館《たいごかん》にて

I　Opening Comments

Ⅱ Spiritual Interview

3　ファンが知りたい〝素《す》〟の綾瀬はるか　60

霊言《れいげん》とは？

「霊言《れいげん》」とは、あの世の霊を招き、その思いや言葉を語り下ろす神秘現象のことです。これは高度な悟《さと》りを開いている人にのみ可能なものであり、トランス状態になって意識を失い、霊が一方的にしゃべる「霊媒《れいばい》現象」とは異なります。

守護霊《しゅごれい》霊言とは？

また、人間の本質は「霊」(「心」「魂《たましい》」と言ってもよい) であり、原則として6人で1つの魂グループをつくっています。それを、幸福の科学では「魂のきょうだい」と呼んでいます。

魂のきょうだいは順番に地上に生まれ変わってきますが、そのとき、あの世に残っている魂のきょうだいの一人が「守護霊」を務めます。つまり、守護霊とは自分自身の魂の一部、いわゆる「潜在《せんざい》意識」と呼ばれている存在です。その意味で、「守護霊の霊言」とは、本人の潜在意識にアクセスしたものであり、その人が潜在意識で考えている本心と考えることができます。

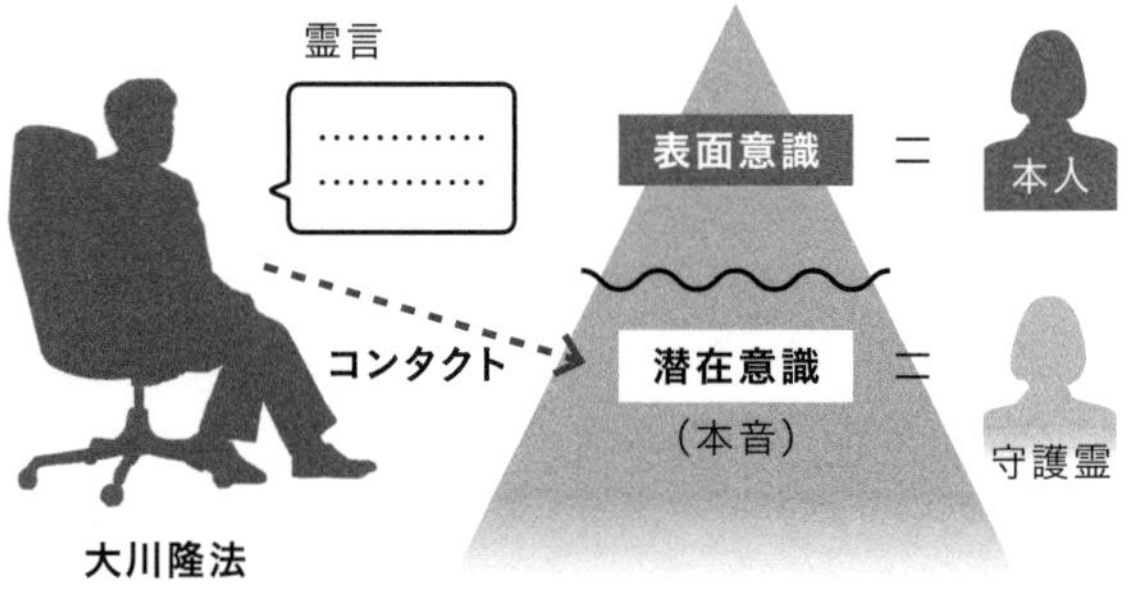

＊なお、「霊言」は、あくまでも霊人の意見であり、幸福の科学グループの見解と矛盾する内容を含む場合があります。

景気をよくする人気女優
綾瀬《あやせ》はるかの成功術

2015年2月10日　収録
東京都・幸福の科学 教祖殿《きょうそでん》 大悟館《たいごかん》にて

Profile

綾瀬《あやせ》はるか（1985～）

女優。2000年、第25回ホリプロタレントスカウトキャラバンで審査員特別賞を受賞し、芸能界デビュー。2004年、ドラマ「世界の中心で、愛をさけぶ」でゴールデンアロー賞を受賞して脚光を浴びる。映画「おっぱいバレー」でブルーリボン賞、日本アカデミー賞優秀《ゆうしゅう》主演女優賞ほか数多くの賞を受賞。2013年のＮＨＫ大河ドラマ「八重《やえ》の桜」に主演したほか、映画・ドラマ・ＣＭなど多数出演。演技に対する真摯《しんし》な姿勢が評価される一方、独特の天然《てんねん》キャラで、幅広い世代から人気を集めている。オリコン「恋人《こいびと》にしたい女性有名人ランキング」（2014年、2015年）で2年連続、通算4回の1位を獲得《かくとく》。

Interviewer
質問者

竹内久顕《たけうちひさあき》（幸福の科学宗務《しゅうむ》本部第二秘書局局長代理）

石丸真望《いしまるまさみ》（幸福の科学宗務本部庶務《しょむ》局職員）

愛染美星《あいぜんみほし》（幸福の科学メディア文化事業局
スター養成部担当参事）

＊質問順。役職は収録時点のもの

I Opening Comments

人気女優・綾瀬はるかをスピリチュアル分析

「景気をよくする人気女優」とタイトルに付けたわけ

大川隆法　今日は「景気をよくする人気女優・綾瀬《あやせ》はるかの成功術」ということで、人気女優の綾瀬はるかさんに迫《せま》ってみるつもりです。

人気女優に迫るのが私で十分なのかどうかは、ちょっとよく分からないのですが、努力してみようと思います。

私は、過去三十年間、出した本が一冊残らずベストセラーになりましたし、二十年以上つくっている映画（＊1）も、すべて黒字を出していますので、多少は芸術的センスや経営的センスのようなものも分かるのではないかと、自分では思っています。

ただ、こうした芸能系のトップスターたちの真価や秘密などに、本当に肉《にく》迫《はく》できるかどうかについては、なかなか難しいものがあります。

＊1　1994年以降、大川隆法原作・製作総指揮の映画8作を公開。長編アニメーション「神秘の法」（2012年）は、アメリカ「ヒューストン国際映画祭」で「スペシャル・ジュリー・アワード」を受賞。2015年10月には、9作目となる映画「UFO学園の秘密」を公開予定。

ですから、通り一遍《いっぺん》にならないようにするためにも、質問者のみなさんに、頑張《がんば》って文字通り〝肉迫〟していただきたいと思います。

今日の質問者には、熱烈《ねつれつ》なファンも一人、参加しているとのことですので、きっと肉迫してくるのではないでしょうか。

今日は、「景気をよくする人気女優・綾瀬はるかの成功術」という題を付けることにしたのですが、けっこう迷いました。「お金の稼《かせ》ぎ方」や「錬金《れんきん》術《じゅつ》」などの言葉が使えないかとも考えたのですけれども、綾瀬はるかさんのことを考えると、それでは少し品《ひん》が悪いかなと思いましたので、綾瀬はるかさんの守護霊《しゅごれい》にも、「どんな題ならいいですか」と相談してみたのです。

そのお答えとして、「『干物女《ひものおんな》が干乾《ひぼ》しにならない法』とかどうですか」などと言っていたので（＊2）、「うまいこと逃《に》げてくるな。それで来るか」と思いました。なかなか逃げるのが上手《じょうず》ですね。

＊2　綾瀬はるかは、ドラマ・映画「ホタルノヒカリ」で、会社では有能なOLだが、家ではだらしない生活を送る“干物女”こと、主人公・雨宮《あめみや》蛍《ほたる》を演じた。

そうはいっても、やはり、それを題にするわけにはいかないでしょう（笑）。そこで、今の日本の状況《じょうきょう》に合わせて、多くの人が知りたいであろう、景気をよくする方法について訊《き》くことにして、「景気をよくする人気女優」ということで、全体的に、成功術についてアプローチをかけてみたいと思います。

以前、綾瀬はるかさんは、推定年収が四億一千万円ぐらいという説もありました。その場合、事務所とタレントの取り分の比率も考えれば、十四億円以上は貢献《こうけん》しているかもしれません。

「人気の法則」や「視聴率《しちょうりつ》マジック」の秘密を探《さぐ》りたい

大川隆法　幸福の科学グループには政党（幸福実現党）もあるのですけれども、貧乏《びんぼう》政党とは言いませんが、まだ、もうひとつ、パッと盛り上がらないでいます。ただ、こういう人が一人いてくれると、〝黒字政党〟に変わるかもしれませんので、何かもう少し人気を取って、評判を上げて、人とお金が集まってくるような技《わざ》を磨《みが》きたいものだなと思っています。

今、霊言《れいげん》で芸能界のいろいろな方にアプローチをかけています(＊)。人によってタイプも違《ちが》いますし、考え方も違うのでしょうが、これは、「なぜ人気が出るのか」「なぜお金が儲《もう》かるのか」「なぜ票が入るのか」「なぜ信者が増えるのか」というものにもつながっていくと思います。

また、おそらく、会社の商品が売れたりすることにも関係するし、「なぜ、この人をコマーシャルに使えば、その商品が売れるか」ということにもつながってくると思うのです。

あるいは、統計学的に出される視聴率《しちょうりつ》の秘密についてですが、「なぜ視聴率が、上がったり下がったりするのか」ということは、現代的には、非常に大事なところでしょう。「『今、これで視聴率が上がっている、あるいは、支

＊女性では、菅野美穂、深田恭子、北川景子、武井咲《えみ》、栗山千明、ローラなど、男性では、高倉健、木村拓哉、岡田准一、唐沢寿明、堺雅人、香川照之などの霊言や守護霊霊言を収録し、書籍化している。

持率が上がっている』と見えるか、『下がっている』と見えるか」ということが分かるのが、大変なマジックのようではあるので、何とかして、その秘密の一端《いったん》なりとも探《さぐ》ってみたいと思っています。

美人だけれど〝抜《ぬ》け〟ている、綾瀬はるかのインバランスな魅力《みりょく》

大川隆法　この方は、美人女優であることは間違いないし、いろいろな作品に出演されていて、演技の幅《はば》がかなり広いことも間違いありません。「国民的女優」や「トップ女優」などと言われることもある方です。

しかし、「ある程度、人気がある女優だ」ということは、私もすぐ分かるのですけれども、人気投票やランキングもので一位や二位などトップクラスでけっこう出てくるのは、若干《じゃっかん》、人気が高すぎる気もしないわけではありません。何か、少しこちらが見落としているところや、ほかの要素があるので

はないかという気がしなくもないのです。

美人といえば美人でしょうが、ほかに、このくらいの美人がいないかといえば、そうとも言えないでしょう。美人はほかにもいます。「胸が大きい」という説もありますが、ほかにも胸が大きい人はいないわけではありません。それから、「演技がうまい」といえばそのようにも思うけれども、ほかにも演技がうまい人はいるでしょう。

しかし、美人女優ではあるけれども、モンペをはかせても似合《にあ》う人であり、長靴《ながぐつ》を履《は》いていても別におかしくないところもあります。

本当は人気があって、収入も高いのに、「やや田舎《いなか》っぽくて抜《ぬ》けている」という部分があるため、そういうふうに見えないでいる面があります。このあたりのインバランス、何かバランスのズレのようなところが、もしかしたら不思議な魅力《みりょく》を出しているのかもしれません。

ただ、まだ全貌《ぜんぼう》が理解できるまではいかないところです。

女座頭市《ざとういち》やサイボーグなどの難しい役もやってのけた

大川隆法　最近の彼女の出演作をかなり観《み》てみたのですけれども、ずーっと観ていると、もう「綾瀬はるか」になってはきていて、どの役もだいたい「綾瀬はるか」に見えます。それは、ある意味で、「トップ女優になってきた」ということなのかもしれません。

しかし、もっと若いころの作品のなかには、意外に「ああ、こういう演技ができるなら、この人は、やはり役者としてうまいのかな」と思う面もありました。

最近のものは、だいたい「綾瀬はるか」に見えるのですが、少し前のものので、例えば、目の見えない、逆手斬《さかてぎ》りの剣豪《けんごう》・座頭市《ざとういち》の女版を演じた

「ＩＣＨＩ《いち》」という映画（＊１）があります。

座頭市は、ボロ切れを着ているので、女性としては美しく見えないスタイルであり、女性であの役を演じたのは初めてのようですが、やってのけました。

あれで、もし逆手斬りの殺陣《たて》の部分が下手《へた》であれば、映画としては完全にぶち壊《こわ》しになるはずです。色気《いろけ》やきれいさなどは関係ないでしょう。目が見えず、ボロ切れを着ている乞食《こじき》のような役ですが、これで映画を成功させたというあたりは、多少の驚《おどろ》きを感じました。

それ以外では、二〇〇八年の映画「僕《ぼく》の彼女はサイボーグ」（＊２）に、綾瀬はるかさんは、未来から来たサイボーグの役で出ています。

＊2　映画
「僕の彼女はサイボーグ」
（2008年公開／GAGA）

＊1　映画「ＩＣＨＩ」
（2008年公開／
ワーナー・ブラザース映画）

年を取った六十五年後の主人公が、過去の自分を救うために〝彼女〟をつくり、未来から現代に送り込《こ》んでくるのですが、スーパーマンのような、ものすごく力持ちのサイボーグの役で、「あ、こんな役ができるのか」という驚きが少しありました。

「ホタルノヒカリ」の干物女《ひものおんな》は腹が立つ？　共感する？

大川隆法　それから、「ホタルノヒカリ」（＊）という連続ドラマにも出演していて、これは、二〇一二年に映画にもなっています。言い方は悪いかもしれませんが、どちらかというと、私を〝腹立たせた〟映画の一つです（笑）。

ただ、「ホタルノヒカリ」は、客観的にはとても人気が出たらしく、彼女の代表作のようにも言われています。以前、

＊ ドラマ「ホタルノヒカリ」
ひうらさとる原作の同名漫画を2007年に連続テレビドラマ化（日本テレビ系列）。2010年に続編「ホタルノヒカリ2」が放送、2012年に映画版（東宝）が公開された。

ＮＨＫ・ＢＳプレミアムで放送された綾瀬はるかさんのドキュメンタリー的な番組でも、そのようなことを言っていたと思います。

これ（「ホタルノヒカリ」）は、先ほどの「干物女《ひものおんな》」という言葉が流行した作品であり、私はこれを観て腹が立ったのですが、もしかしたら、ＯＬたちはとても共感したのかもしれません。

会社ではピシッとしていて、「よくできる女性」のようなことも普通《ふつう》にできるのですが、その会社の部長と結婚《けっこん》している彼女は、家へ帰ったらもう〝ゴロニャン〟の世界に入って、ゴロゴロ、ゴロゴロと寝《ね》そべったり、ビールを飲んだり、縁側《えんがわ》で転げていたりするような感じなのです。海外に行ってもそれが抜けず、周りを〝吸い込んで〟いきます。

なぜ、そのような女性を「干物女」と呼ぶのかは知りませんが、グニャッとして、フニャッとした感じの女性を演じています。

この〝憎《にく》たらしさ〟が何とも言えないのですが、女性から見たら憎たらしくないのかもしれません。もしかしたら、家に帰ると、みな、あんな感じで、自分にそっくりなのかもしれないのです。「私とそっくりだ。こんな人でもこういうふうになるんだ」と思って共感する人もいるかもしれないのですが、私が観たら、「こいつ、憎たらしいなあ」と思って、お尻《しり》を蹴飛《けと》ばしたくなるほど腹が立ちます（笑）。

ただ、そう思わせるところが腕《うで》のよさかもしれません。悔《くや》しいのですが、そこまで〝ずっこける〟ような役もできるというところなのでしょう。

「大女優なんだから、もう少し凜《りん》として、ピシッと気品を出せないのか」と思うと腹が立ってくるのですけれども、抜けているような、フニャフニャの役を平気でするので、本当はうまいのかもしれません。

大河《たいが》ドラマの「主役」から「ドジ役」までを演じ切る

大川隆法　ほかには、二〇一三年のNHK大河《たいが》ドラマ「八重《やえ》の桜」（＊）の新島《にいじま》八重役が有名です。あれは、福《ふく》島《しま》の復興を兼《か》ねた、政治性のあるドラマではありましたが、そのなかで、銃《じゅう》を撃《う》つような、〝幕末のジャンヌ・ダルク〟役をしました。最後は同志社《どうししゃ》大学をつくった新島襄《じょう》の奥《おく》さんになる、クリスチャンの役でもあったので、やや難しい役だったかと思います。

ただ、あれで福島弁をだいぶ勉強しすぎたためか、以後、言葉に同じような訛《なま》りを感じるので、どうも気になってしかたがありません。

＊ NHK 大河ドラマ「八重《やえ》の桜」（2013 年）
2011 年の東日本大震災を受け、東北復興支援のために急きょ企画された作品。（右）前半生、会津時代の八重をイメージした「幕末編」ポスター。（左）後半生の八重をイメージした「明治編」ポスター。

あとは、ドラマ「JIN-仁《ジン》-」（＊1）なども当たりましたし、映画「ハッピーフライト」（＊2）ではドジな新人キャビンアテンダント役もしましたが、これが主役になれるというところも不思議な感じです。

映画「プリンセス トヨトミ」（＊3）にも出ています。これは、「大阪国《おおさかこく》の隠《かく》れた総理大臣」とか、「豊臣《とよとみ》家が滅《ほろ》びたあとも大阪国が続いている」とかいうような話です。

綾瀬さんは、会計検査院《けんさいん》の役人の一人として大阪へ行き、たこ焼きやお好み焼きを食べて食べてするという〝ボケ役〟でした。そうしながら、事件に巻き込まれていくのですが、この〝抜け〟ようも、何とも言え

＊1 ドラマ「JIN -仁-」
（2009年・2011年放送／TBS系列）

＊2 映画
「ハッピーフライト」
（2008年公開／東宝）

＊3 映画
「プリンセス トヨトミ」
（2011年公開／東宝）

ない面白《おもしろ》みを出していたと思います。

また、昨年（二〇一四年）の女性タレントの人気総合ランキングで一位、恋人《こいびと》にしたい女性有名人ランキングで一位であり、過去、同ランキングで通算三度の首位を獲得《かくとく》しているのです（＊4）。好感度ランキング（二〇一三年）でも一位を取っていますから、そういう意味ではなかなか大したものです。

そして、先ほど述べた、女座頭市役を演じた映画「ＩＣＨＩ」、「僕の彼女はサイボーグ」、「ハッピーフライト」などで、日刊スポーツ映画大賞主演女優賞を受賞しています。

意外な作品で日本アカデミー賞の優秀《ゆうしゅう》主演女優賞を受賞

大川隆法　さらに、以前にも紹介《しょうかい》した作品で（『ローラの秘密』〔幸福の科学出版刊〕参照）、題がちょっといやらしいのですが、「おっぱいバレー」とい

＊4　オリコン「恋人にしたい女性有名人ランキング」では、本収録後に発表された2015年のランキングでも1位となり、2年連続、通算4度目の首位獲得となった。

う映画にも出演し（笑）、これで、二〇一〇年に日本アカデミー賞優秀《ゆうしゅう》主演女優賞を取っているのです（*）。

この映画は、北九州のある学校に新任の国語の先生（綾瀬はるか）がやってきて、男子バレー部の顧問《こもん》になるのですが、全然やる気のないバレー部の子供たちに、「優勝したら、おっぱいを見せる」という約束をするのです。それは先生にあるまじき約束で、あってはならない公序良俗《こうじょりょうぞく》違反《いはん》の約束ではありますが、生徒たちは、「おっぱいが見たい」と燃え出し、必死になって頑張《がんば》ってしまいます。

しかし、やがてその約束が学校側に知られてしまい、彼女は学校を辞《や》めなければいけなくなるのです。

これは、実話をモデルにした映画らしく、「生徒を励《はげ》ましたいのだけど、そのために、先生としてやっては

＊ 映画「おっぱいバレー」
（2009年公開／ワーナー・ブラザース映画、東映）
本作で綾瀬はるかは、日本アカデミー賞の優秀主演女優賞と話題賞（俳優部門）を、また、ブルーリボン賞の主演女優賞を受賞している。

いけないことをする」というような、そういうものを組み合わせた作品でした。彼女は、これで賞を取っているので、何とも言えない、不思議な女優さんです。

多くの人の支持を集める「成功術」に迫《せま》る

大川隆法　やはり、「干物女が干乾しにならない理由」だけでは済まないでしょう。「なぜ稼げるのか」というところを、どうしても知りたいですね。

今の世の中、最終的にお金になっていくには、結局、「多くの人の支持を受けられるかどうか」なのです。「一つの仕事だけで、たった一人の人から多額のお金をもらう」という儲け方もあるけれども、そういうものは、長く続くわけがないし、人気もありません。

「人気があって、収入が高い人」になるためには、多くの人の支持を受けること、そうした好感を持って評価されることが大事なのです。

私は、そういう成功術を学べば、日本のいろいろなところが元気になってくると思います。

その意味で、やや分《ぶん》不相応かもしれませんが、そうした女優さんたちの活《かつ》躍《やく》を、できるだけスピリチュアルに分析《ぶんせき》してみて、その「秘密」を知りたいと考えているわけです。

（質問者に）そういうことで、今日は、みなさまがたの〝肉迫〟をお願いしたいと思っています。（質問者のなかには）実物を見にまで行った方（石丸）もいらっしゃるようなので、いろいろと期待したいところです。

あるいは、多少、意外性のある質問もしてみたほうがよいかもしれません。

では、行きましょうか。

（合掌《がっしょう》し、瞑目《めいもく》する）今、トップ女優の声も高い綾瀬はるかさんの守護霊をお呼びして、その人気の秘密、実力の秘密、成功の秘密について探ってみたいと思います。

綾瀬はるかさんの守護霊よ。

綾瀬はるかさんの守護霊よ。

どうか、幸福の科学　教祖殿《きょうそでん》に降りたまいて、その芸術観、演技観、作品観、あるいは、努力、他の人についての考え方など、いろいろなことについて、お教え願えれば幸いです。

綾瀬はるかさんの守護霊よ。

どうか、幸福の科学　教祖殿に降りたまいて、その秘密をわれらに明かしたまえ。

（約十秒間の沈黙《ちんもく》）

II Spiritual Interview

綾瀬はるか守護霊に
スピリチュアル・インタビュー

1　綾瀬はるかは「天然《てんねん》」ではない？

「知りたがってることは、全部秘密」？

竹内　こんにちは。綾瀬はるかさんの守護霊《しゅごれい》様でいらっしゃいますか。

綾瀬はるか守護霊　うーん……、〝ひみつのアッコちゃん〟(＊)。

竹内　アッコちゃんですか(笑)。

＊ 綾瀬はるかは、「映画 ひみつのアッコちゃん」(2012年公開／松竹)で、魔法で大人に変身したときの主人公・加賀美《かがみ》あつ子(アッコちゃん)を演じた。

綾瀬はるか守護霊　うん。

竹内　今日は、ようこそ大悟館《たいごかん》にお越《こ》しくださいました。

綾瀬はるか守護霊　ああ、秘密なんです。

竹内　秘密なんですか。

綾瀬はるか守護霊　うん、秘密。
駄目《だめ》です。知りたがってることは、全部秘密。

竹内　うーん。全部秘密ですか。

綾瀬はるか守護霊　うん、駄目。NG！

竹内　ああ、NG（笑）。

綾瀬はるか守護霊　（笑）こんなの、やっぱり明かしちゃ駄目でしょ。

「天然《てんねん》って言われることだけは……」

竹内　うーん、なるほど。普段《ふだん》の綾瀬さんを見ていますと、すごく天真爛漫《てんしんらんまん》で、裏表《うらおもて》がないような感じがするんですけれども。

綾瀬はるか守護霊　ああ、それねえ。「天然《てんねん》」って言われるときだけ、私も少し反応する。

竹内　反応するんですか。

綾瀬はるか守護霊　するんです。「天然」って言われると、それだけはねえ、私も素直《すなお》に受け入れられない。

竹内　受け入れられない？

綾瀬はるか守護霊　られない！　「天然」だけは、受け入れられない。そんなことはない。そんなことはない。「ナチュラル」ではあっても、「天然」じゃない。

竹内　天然ではないと?

綾瀬はるか守護霊　うん。

竹内　世間《せけん》の芸能関係者も共演された方も、綾瀬さんを見ると、「赤ちゃんみたい」とか、「天然」とか、よくおっしゃる方が多いのですが……。

綾瀬はるか守護霊　だから、「天然」っていう言葉は、ちょっとねえ……。天然の鮎《あゆ》とかはいいですけどねえ。養殖鮎と違《ちが》って、天然鮎はいいんですけど。

「天然」っていうのを定義してくださいよ。どういうことです?

竹内　天然というのは、「素《す》のままで、幼少のころの心を失わず、あまり空気を読まない感じ」みたいなものでしょうか（笑）。やはり、「その個性が、世間の常識に勝《か》っているタイプ」だと思うんですけど。

綾瀬はるか守護霊　だから、「きょうは会社休みます。」というドラマ（＊）で、まあ、〝壁《かべ》ドン〟をやられたといって、なんか、「三十歳《さい》で処女《しょじょ》役ができる女」っていうので有名になって。まあ、こんなのもつながるのかなあ。分からないけど。

「ナチュラル」だとは、自分では思ってますよ。ナチュラルで、そんなに、うーん……、「変なことを人為《じんい》的にや

＊ ドラマ「きょうは会社休みます。」
藤村真理原作の同名漫画を2014年に連続テレビドラマ化（日本テレビ系列）。綾瀬はるかは、「年齢＝彼氏いない歴」の主人公を演じた。

ろうと思ってない」っていう感じは分かるけど。

「天然」っていうのには、「ボケ」っていう言葉がつながるような感じがするんですけど(会場笑)、どうですかねえ。

竹内　ああ、なるほど(笑)。

「天然」「純粋《じゅんすい》」と言われる演技の秘密とは

竹内　では、「役」のほうに話を持っていきたいんですけれども……。

綾瀬はるか守護霊　ああ、そうですか。

竹内　役を演じられている綾瀬さんの感じを見ていますと、役そのものになりきっているようでありながら、綾瀬さんのよさである……、あえて言いますが「天然さ」や（笑）、「純粋《じゅんすい》さ」、「真面目《まじめ》さ」が、にじみ出るような演技をされているように思います。まず、このあたりのところから、お話を聞いていけたらと思うんですけれども。

綾瀬はるか守護霊　なんで、「にじみ出る」っていう言い方するんだろう。私は私のままをやってるのに、どうしてなんだろう。どういうことなんでしょう？　ほかの人は、そんなに〝怪《あや》しい〟方々が多いんですかね。

竹内　綾瀬さんは役を演じているとき、どういう気持ちで演じていらっしゃるのですか。

綾瀬はるか守護霊　いや、一生懸命《いっしょうけんめい》やってますよ。一生懸命なりきろうとして、一生懸命、台本読んで、一生懸命、監督《かんとく》さんや周りの人のアドバイスとかを聞いて、「なりきろう、なりきろう、なりきろう」と、一生懸命やっています。うん。ただ、それだけ。

竹内　それだけですか。

綾瀬はるか守護霊　うん。一生懸命やってますよ。

竹内　確かに、いろいろな芸能界のプロの方々は、「監督にアドバイスしたい」とか、「自分はこうしたい」という方が多いようですが、綾瀬さんは、「なるべく監督の意向《いこう》に沿った演技をしようとされている」と言われています。これは、なぜなのでしょうか。

綾瀬はるか守護霊　うーん……。まあ、「天然なんとか流」ってありましたね。天然……。

竹内　「天然理心流《りしんりゅう》」（＊1）ですか。

綾瀬はるか守護霊　あれって、（天然）理心流でしたか。ああいうふうな〝流派《りゅうは》〟を開いてるわけではないし、監督を指導できるほど、まだ「大女優」ではございませんので。

私だって、いつまでもやるか分からなくて、三十歳まではやりますけど（＊2）、あとはやるかどうか、まだ決めてないし、〝天然に〟辞《や》めていくかも

＊1　天然理心流　江戸時代に創始された、日本の古武道の一流派。新撰組局長の近藤勇《こんどういさみ》が宗家《そうけ》の第４代目。門弟に新撰組副長の土方歳三《ひじかたとしぞう》や一番隊隊長の沖田総司《おきたそうじ》がいる。

しれないので。

竹内　（笑）

綾瀬はるか守護霊　「もう終わった」と見たら、「もう、そういう恋愛《れんあい》役ができないな」と思ったら、ねえ？　ファンの誰《だれ》かとくっついちゃうかもしれないから、ほんと。

竹内　（笑）ファンとくっつくんですか。

綾瀬はるか守護霊　うん。分かんないですよ。

＊2　本霊言収録時、綾瀬はるかは29歳だった。

「ナチュラル」ではあっても、

「天然《てんねん》」じゃない。

綾瀬はるか守護霊の
魔法のコトバ

2 ドラマ「世界の中心で、愛をさけぶ」のこと

役づくりで丸坊主《まるぼうず》になったときの気持ち

竹内　ドラマ「世界の中心で、愛をさけぶ」（＊）のときなのですが……。

綾瀬はるか守護霊　ああ、あれは天然で坊主《ぼうず》になったわけじゃない。

竹内　ええ。やはり、あの意気込《いきご》みがすごいと思うん

＊ ドラマ「世界の中心で、愛をさけぶ」
2004年、片山恭一の同名小説を映画化（東宝）、連続テレビドラマ化（TBS系列）。綾瀬はるかはドラマ版で、若くして白血病で亡くなる主人公・廣瀬亜紀《ひろせあき》を演じた。

ですよ。減量をして、本当に髪《かみ》を剃《そ》ってと、役にかける意気込みが生半可《なまはんか》なものではないと思うんです。

綾瀬はるか守護霊　まあ、半分はそうですが、半分は違《ちが》う。「半分は違う」っていうのは、（高校の）部活を辞《や》めて来たものだから、太ったんで。それで、「詐欺《さぎ》だ」とか、なんか言われて。「こんなに太ってるとは思わなかった」っていうようなことでねえ。「七キロ減量できなかったら、クビだ。契《けい》約《やく》解除だ」みたいな（＊）。

これはまあ、何と言うか、「ナチュラルにやった」とだけは言えないね。

竹内　うーん。

＊ この減量のエピソードは、上京して間もないころに、ダイエット番組に出演した際のものである。

綾瀬はるか守護霊　だから、髪を剃ったのは、そういう役柄《やくがら》上、カツラじゃ、やっぱりすぐバレるから、しかたがないし、大きな映画やドラマを撮《と》るためには、そのくらいの犠牲《ぎせい》はしかたがないかなあとは思って。髪はいずれ生《は》えるまで、カツラでカバーできますから、しかたがないかなあと思いましたが。

減量のほうは、ちょっと不本意《ふほんい》ではありましたね。いちおう、標準に入ってたんですけどね（笑）。「そんなに太ってるとは、詐欺だ」っていう言い方をされたので。

まあ、これはもう意地《いじ》でも痩《や》せなきゃいけないんで、ランニングと水泳をやりましたけどねえ。

「オーディションでおまえが最低だった」と言われて

竹内　なぜ、このとき、ここまで頑張《がんば》ろうと思われたのですか。

綾瀬はるか守護霊　うーん、そんなに周りの評価が高かったわけではなかったんですよ。オーディションに通ったときも、「おまえが最低だから、採《と》ることにした」っていうような言い方をされたから。

まあ、サドに当たったんですかね。サド的な方《かた》に当たったのかもしれませんが、「応募者《おうぼしゃ》としては最低だったから、『最低』を使ってみたら、どうなるかを見たくてやった」みたいなことを言われて。

でも、これは挑発《ちょうはつ》かな？　きっと、挑発されたんだと思うので。「最低」と言われて挑発されたので、「最低の者がどこまで変われるか」っていうのが「意地」じゃないですか。

だから、まだこのころは、そんなにいろんなもので成功してたわけではないので。そんなにうまくはいかなかった時期ではあったんですけどねえ。本(『世界の中心で、愛をさけぶ』)は読んでたから、役づくりはできると思ったんですけども。

まあ、このへん、天然でも意地はちょっとあるんですよ。「おまえは応募したなかで最低だ」と言われたら、失礼でしょ? 普通《ふつう》。

竹内　ええ、失礼ですね(笑)。

綾瀬はるか守護霊　普通、失礼でしょ? みんな、「千人応募中トップだ」とか、「一万人応募のなかで一人選ばれた」とか、「グランプリだ」とか言われると、いい気持ちになってやるじゃないですか。「おまえが最低だった」って言われたら、さすがに、カチッとくるよね。

まっ、意地はあるよね。意地はあるから。

チャンスをつかめるのは「単純」だから?

竹内　ただ、ここでチャンスをつかんだのが、すごいと思うんですよね。

綾瀬はるか守護霊　うーん。

竹内　なぜ、チャンスをつかめたと思いますか。

綾瀬はるか守護霊　うーん、でも、小説として作品がヒットしてましたからねえ。

だから、誰《だれ》がやっても、ある程度は行ったんだろうとは思うんですけども。まあ……、「本人になりきろうとした」っていうか、「役の人になりきろうとした」っていうところへの意気込みなんでしょうかねえ。

竹内　たぶん、みなさん、意気込みは持っていると思うんですよ。その役をやりたかった人はたくさんいると思うのです。

綾瀬はるか守護霊　うーん。

竹内　綾瀬さんは、ほかの人と、どういうところが違ったのでしょうか。

綾瀬はるか守護霊　まあ、単純といえば単純なのかなあ。

単純に、「結論はこうだから、そこに向かっていくにはどうしたらいいか」っていう〝補助線《ほじょせん》〟を引けば、自分のやるべきことっていうのが見えてくるじゃないですか。それをまっすぐ走ってるだけで。

ほかの人は、それをいろんなものでカバーしようとしたり、いろいろされるのかもしれない。〝小細工《こざいく》〟されるのかもしれないけども、私の場合は、単純に向かっていくので。

だから、「日本のジャンヌ・ダルク（新島八重《にいじまやえ》）をやれ」と言われたら、それになりきろうとして、一生懸命《いっしょうけんめい》、頑張るわけで。薙刀《なぎなた》をやったり、鉄《てっ》砲《ぽう》を撃《う》つ練習をしたり、一生懸命、繰《く》り返し繰り返し練習しますので。

まあ、天然って言われてるのは、どういう意味なのか分からないけども、単純に、結論として、その役になれるところで、いちばん短く、ストレートに行こうとしてるのかなあ。そういう感じなんでしょうかねえ。
うーん、分からない！　もうひとつ分からない。

なぜ、綾瀬はるかはNGが少ないのか

竹内　先ほど、招霊《しょうれい》されて出てこられたときに、「ひみつのアッコちゃん」と（笑）、ジョークをおっしゃってくださいましたけど、やはり……。

綾瀬はるか守護霊　もうできないよ。

竹内　ああ、もうできない（笑）。

綾瀬はるか守護霊　うん、もうできない。

竹内　はい（笑）。それで、やはり、こういう役を取っていくときというのは、何か〝魔法《まほう》〟を使うのでしょうか。

綾瀬はるか守護霊　魔法は使わないわねえ。それはないんじゃない？　魔法は。

だから、もともとが田舎《いなか》の出《で》で、広島出身だから〝田舎性《せい》〟は隠《かく》せないところはあるよね。都会の女性……、「如才《じょさい》ない女性」っていうか、抜《ぬ》け目のない女性ではなかったことは事実なので。やっぱり、その〝田舎の落差《らくさ》〟は持ってはいるものだと思うので、うーん。

あと、実際に女優業をやってるから、いろんなところで仕事経験……、勤めをしたわけでも何でもないので、それは台本に合わせて役づくりをしてるだけですね。

　ただ、「比較《ひかく》的NGが少ない女優」ということは言われているんですよねえ。

竹内　そうですね。

綾瀬はるか守護霊　だから、わりあい〝一発〟で決めることが多いので。

　それを一発で決めるのは、もう前の日から、もっともっと前から、一生懸命その役になりきろうとして台本を読み込んで、練習して、心のなかで、「シミュレーション」っていうんですか？　何度も何度もそのシーンをイメージして、「どういうふうにやると、いちばんうまく見えるか」っていうようなことを考えて、それを現実にやっているので。

　まあ、そういう意味で、NGが少ない。

要するに、難しい役が多いんですけど、「難しい役は、本当は何回もやらないと、たぶん撮れない」と、監督《かんとく》やほかのスタッフみんなが思ってるなかを、わりあいNGなしで、一回で終わってしまって、「OK」「カット」ということで終わらせてしまうから。そのへんのところが、なんか妙《みょう》に信頼《しんらい》があるのかもしれませんねえ。

体力はちょっと自信があるほうなので、女性にしては、やや荒《あら》っぽい演技みたいなのでも、耐《た》えられるところはあるので。

あと、人の期待？　期待をかけられたときに、「期待を裏切らないようにしよう」という気持ちは、やっぱり強い。それは人一倍強いなと、自分では思いますけどねえ。

REIGEN Column 1

「期待に応《こた》えたい」という姿勢は人気女優に共通している？

武《たけ》井《い》咲《えみ》守護霊　私は人の期待を裏切るのは嫌いなんです。だから、ドジでも一生懸命やって、最後は、「油まみれでも、何とか仕事は終えたね」って言われるところまではやり抜かないと納得がいかないので……。まあ、そのへんは性格のところかもしれませんね。

「運がいい」というのはそのとおりだし、自分もそう認めていますけども、運だけで長く続くわけではないことは分かっているし、そういう業界ですよね。

Book

『時間よ、止まれ。
—女優・武井咲とその時代—』
大川隆法 著／幸福の科学出版

more

- **武井咲のピュアな魅力の秘密とは？**
- **守護霊が語る「オーラ」の秘密**
- **「永遠の妖精」と呼ばれる驚きの前世とは？**

3 ファンが知りたい〝素《す》〟の綾瀬はるか

綾瀬はるかファンの質問者と対面して

竹内　実は、そういう綾瀬さんに憧《あこが》れてファンになった人が、こちらにいまして（笑）。

石丸　よろしくお願いします。

綾瀬はるか守護霊　ありがとうございます。一人だけでも、最後、残ってくだされば、もう……。

石丸　いや、いや、いや……（笑）（会場笑）。

綾瀬はるか守護霊　人類最後の一人に残ってくだされば、ありがたいと思ってます。

石丸　いや、とんでもないです。私は中学生のときから、ずっと綾瀬さんのファンでして。

綾瀬はるか守護霊　ええ。

石丸　きっかけは、「セカチュー」（「世界の中心で、愛をさけぶ」）をドラマで観《み》て、綾瀬さんが演じられている「廣瀬亜紀《ひろせあき》」の役に、すごく胸を打たれたといいますか、あのカップル……。

綾瀬はるか守護霊　（石丸に）俳優になろうとはされなかったの？

石丸　私ですか？　私は全然……（笑）。観ているだけで幸せなので（会場笑）。

綾瀬はるか守護霊　ああ、そう。「通行人」とか、役はあるんですよ（会場笑）。

石丸　ああ、そうですか。それは、行けばよかったなと、今、思うんですけど（笑）。

綾瀬はるか守護霊　（笑）

石丸　私は実際に試写会へ行きまして、綾瀬さんが私の目の前を通られたこともあるんです（笑）。

綾瀬はるか守護霊　（会場のモニター画面を見ながら）ああ、なんかほんとに、画像がうれしそうに映《うつ》っていらっしゃる。

石丸　はい（会場笑）。もう、今日は本当に光栄です。

綾瀬はるか守護霊　はい、ありがとうございます。

撮影《さつえい》現場での「ゆるさ」と「執念《しゅうねん》」

石丸　綾瀬さんのいちばんの魅力《みりょく》は、内面からにじみ出る透明感《とうめい》といいますか、実際にお話を聞いていると、普通《ふつう》の女優さんとは違《ちが》う……。なんか嘘《うそ》がないというか、素直《すなお》さとか、ピュアさとか、そういうのが大きな魅力なのではないかなと思うのですけれども。

綾瀬はるか守護霊　うーん……。そうですかねえ……。

石丸　まあ、天然《てんねん》ともいえるかもしれないですが、その天然さも、私はとても大好きです。ご自身の持つピュアさとか、天然さとか、綾瀬さんのそうした「性格」の部分と「女優としての魅力」は、どう関係していると思われますか。

綾瀬はるか守護霊　うーん……。演技のときは、スタッフの方と、一カ月とか、三カ月とか、けっこうお付き合いするし、大所帯《おおじょたい》でやりますけども。たぶん、演技のときと、それ以外のときと、〝切れ目〟がそんなにないのかもしれませんね。自然に、スーッと演技のなかに入っていって、終わったら、スーッと戻《もど》ってきて。

何ていうか、昔の大女優さんみたいに周りが気を遣《つか》わなくていいところは、楽《らく》なのかもしれませんけどね。大女優さんが来ると、みんながピリッとして、監督《かんとく》からみんなが緊張《きんちょう》するような場合があるじゃないですか。そういうところが、比較《ひかく》的少なくて済むので。

まあ、それは、ほんとは自信がないのかもしれません。劣等感《れっとう》の塊《かたまり》なのかもしれない。ほんとに田舎臭《いなかくさ》い、〝イモ女《おんな》〟かもしれないし。

石丸　〝イモ女〟って……（笑）。

綾瀬はるか守護霊　ええ、イモ女かもしれないんですが、そのイモ女のところを見られないように、ちょっとだけ、うっすらと〝皮〟で覆《おお》ってるから、みんなもそれは破らないようにしようとしているのかなあ。だから、「そんなに擦《す》れてない」っていうのは、そういう世界で生きてなかったから、それはそうなんですけど。

まあ、その意味で、何ていうか、うーん……、ほかの人に対しても、そんなに厳しいわけではないかもしれない。自分に対しても甘《あま》いから、ほかの人に対しても、役者さんに対しても、厳しく注文をつけたりは、そんなにしすぎないようにしてるのかもしれません。

ただ、いちおう、「自分が主演とかで出たものは外《はず》さない」っていうか、「作品としては、とりあえず成功で、結果的には〝得点〟が入るようにしたい」というところだけは執念《しゅうねん》を持ってる。それは持ってるんです。「作品として失敗した」とは言わせないようにって思うことの連続ではありますね。ええ。

石丸　なるほど。そういう内面やピュアさとかもあるんですが、一個一個の仕事に対して、すごく真剣《しんけん》に向き合っていくといいますか……。

綾瀬はるか守護霊　うん。そう、そう、そう。だから、やっぱり、「一つ失敗したら次がない」という世界だろうとは思ってるんです。「大きく外れたら、次がない」と思ってはいるので。

日常生活でも〝干物女《ひものおんな》〟……？

綾瀬はるか守護霊　先ほど、大川総裁が「〝干物女《ひものおんな》〟は嫌《きら》いだ」と言われたんで、干物がお好きでない方には、日本旅館は朝ご飯《はん》を出すとき、ちょっと気をつけないといけませんね。

石丸　実際も、干物女のような日常生活をされているのでしょうか。

綾瀬はるか守護霊　いや……。

石丸　すみません（笑）（会場笑）。

綾瀬はるか守護霊　これは難しい……。

石丸　実際、リアルな綾瀬さんを……。

綾瀬はるか守護霊　私と同棲《どうせい》してみたら分かる……。

石丸　なるほど（笑）。それは……。

綾瀬はるか守護霊　いらっしゃる？

石丸　いいんですか？

綾瀬はるか守護霊　いらっしゃる？（笑）（会場笑）

石丸　いえ、ちょっと……（汗）。

綾瀬はるか守護霊　〝干物男〟になる？

石丸　干物男に……（笑）（会場笑）。

綾瀬はるか守護霊　（笑）〝ヒモ男《おとこ》〟か。アハハッ、アハハハハ。

「年下男性のいいところ」とは？

石丸　「どの綾瀬さんが本物なのか」ということを、また蒸《む》し返して……。

綾瀬はるか守護霊　いや、わりに年下の男性は好きですよ。

石丸　あっ、ほんとですか！　ちょっと、どうしましょう（笑）（会場笑）。

綾瀬はるか守護霊　年下の男性は、天然というか、ナチュラルっていうか、隙《すき》を見せても、そんなにうるさく言わないから。

石丸　なるほど。

綾瀬はるか守護霊　年上だと、けっこうガミガミ細《こま》かく言われるから。ナチュラルでいたら、やっぱり怒《おこ》られちゃうので。人工的に躾《しつ》けられますから、厳しいですよね。やっぱり、年上の方は厳しいですね。基本的にね。だから、若い男性は好きですすよ、けっこう。

石丸　あっ、ありがとうございます。

綾瀬はるか守護霊　うん。よろしかったら。

石丸　あっ、じゃあ、ぜひ……（会場笑）。

綾瀬はるか守護霊　ええ。俳優業をやられて、共演するところまで来てくださらないと。

石丸　じゃあ、もし、機会がありましたら。エキストラぐらいで（笑）。

綾瀬はるか守護霊　ええ。引退しなければ。

石丸　はい。

料理の質問はタブー？

竹内　ちなみに、その仮定の世界では、夕食は一緒《いっしょ》に何を食べますか。

綾瀬はるか守護霊　うっ！

竹内　まさか、冷蔵庫を開けて……（笑）。

綾瀬はるか守護霊　（石丸を指して）彼と？　彼がつくってくれるんでしょ？　もちろん。

竹内　あっ、そういうことですか（笑）（会場笑）。

綾瀬はるか守護霊　もちろん、そうです。それは、そうでしょう。

竹内　ああ、なるほど（笑）。

石丸　頑張《がんば》ります。

綾瀬はるか守護霊　それ以外の理由はありえないでしょう。

竹内　ご自身はあまり……。

綾瀬はるか守護霊　ええ。彼がつくってくださるんだと思うんで、お任《まか》せします。材料とか、調理法とか。私はビールを飲みながら、ゴロゴロさせていただき……。

竹内　なるほど（笑）。

愛染　石丸さんでしたら、何をつくりますか。

石丸　ええ……、そうですね。綾瀬さんが好きなものであれば、何でも頑張ろうかと思っているんですけれども（会場笑）。

綾瀬はるか守護霊　食欲あるんですよね、私。

石丸　あっ、そうですよね。

綾瀬はるか守護霊　ええ。けっこう。

石丸　「すごく食べ物が好き」とお伺《うかが》いしているんですけれども、普段は自分で料理とかもされたりは……。

綾瀬はるか守護霊　うーん、無理なことは訊《き》かないでください。

石丸　ああっ、分かりました（笑）（会場笑）。

「自由奔放《ほんぽう》」という言葉に反応

綾瀬はるか守護霊　そういう暇《ひま》があってはいけない仕事ですよね。まあ、見せてもいいけども……。うーん、できるように見せてもいいけども、（暇が）あってはいけない仕事ですよね。

それは、できるだけ手間《てま》がかからないようにしていかないといけないし、人にいっぱいしてもらってるところを、あんまり見られてもいけない仕事ですよね。

だから、佐藤健《さとうたける》くんなんかが器用に物でもつくってくれると、「使い出がいいな」と思ったりすることもあるんですよ。運動神経がいいからね、用心棒《ようじんぼう》にもなるしね。剣一本を渡《わた》しとけば、勝手に振《ふ》り回すでしょうから（笑）。

石丸　（笑）でも、綾瀬さん自身もすごくナチュラルというか、自由奔放《ほんぽう》さがすごく好きなのかなと思いまして。

綾瀬はるか守護霊　いや、「奔放」ではないです。奔放じゃない。

石丸　でも、「素直でいたい」というふうに、ご自身もおっしゃっているんですけれども……。

綾瀬はるか守護霊　奔放っていうことはないです。奔放ではなくて、いちおう、そんなに大きくは踏《ふ》み外さないで、田んぼの畦道《あぜみち》をちゃんと歩けるぐらいの歩き方はします。暴走する車みたいなことはありません、私の場合は。

石丸　そうなんですね。

綾瀬はるか守護霊　うん。奔放ではありません。だから、奔放っていっても、せいぜいモンペをはいて、長靴《ながぐつ》を履《は》いて走れる範囲《はんい》ぐらいの畦道の走り方までです。田んぼに落ちるまでやらないところで止《と》めます。

深津絵里《ふかつえり》の演技に憧《あこが》れる理由

竹内　綾瀬さんが憧《あこが》れる女性や女優というのは、どんな方ですか。

綾瀬はるか守護霊　今はまだ、二十代にギリギリで入ってますけど、これから三十を過ぎて、自分があるかどうかはまだ分からないんです。

まあ、そういうときに変化していかなきゃいけないんでしょうから。より難しい演技ができなきゃいけないでしょうから。天然だけだと、三十以降が乗り切れないかなあと思うので。

やっぱり、「複雑な演技ができる」とか、「多少無理な注文をしてもやってくれる」とかいうふうなところがないと、生き残れないかなあと思うんで。まあ、ちょっと違った役もできたらいいなあと。深津絵里《ふかつえり》さん（＊）風の不思議な演技ができたらいいなあと思ったりすることは多いですね。

竹内　なるほど。

綾瀬はるか守護霊　うん。だから、あなたがたは、ただいまの人気とか、収入とか、コマーシャルでの値段とか、そんなのを気になされるのかもしれませんけれども、そういうときが過ぎていって、生き残れるかどうかっていうところで残っている方は、ほんとにすごいんだろうなあと思いますね。

＊深津絵里（1973〜）　ドラマ、映画、舞台等で活躍する女優。ドラマ「踊る大捜査線」シリーズで知名度が上がる。映画「阿修羅のごとく」で日本アカデミー賞最優秀助演女優賞、映画「悪人」でモントリオール世界映画祭最優秀女優賞、日本アカデミー賞最優秀主演女優賞を受賞。

4 映画「ICHI《いち》」のこと

映画「ICHI《いち》」での演技が大河《たいが》ドラマ「八重《やえ》の桜」につながった

竹内　「ICHI《いち》」という映画がありました。殺陣《たて》で十人ぐらいをバッサバッサと斬《き》って、ご本人も、「あれがいちばん楽しかった」とおっしゃっていたんですけれども（笑）。

綾瀬はるか守護霊　「楽しかった」って言ったら、ちょっと残酷《ざんこく》ですけど。

竹内　綾瀬さんはすごく〝柔《やわ》らかい〟のですが、それでいながら芯《しん》が強いところがあります。あの市《いち》（映画「ＩＣＨＩ」の主人公）の役は、天然《てんねん》だけではできないと思うんですよ。ああいうシーンでの強さは、どこから出てきているのですか。

綾瀬はるか守護霊　うーん……。分からないですね。まあ、監督《かんとく》さんが私にできると思ってくださったから、それに応《こた》えなきゃいけないと思ってやったわけですけど、目の見えない、ボロ切れをいっぱい着込《きこ》んだ乞食《こじき》みたいな女の役は、女優としては、そんなにしたい役ではないですよねえ。

それから、殺陣といっても、あれは難しいと思うんですよね。北川景子《きたがわけいこ》さんみたいなのが正統《せいとう》派の斬り方をしたほうが様《さま》になってると思いますが、ああいう、「座頭市《ざとういち》型の仕込み杖《づえ》で相手を斬るみたいな役」っていうのができるかどうか。けっこう、それなりに難しいところがあると思うんですね。

これは、女性がやると様《さま》にならないんですよね。上からだったら、下《した》へ下《お》ろすと重力があるから力が入りますけど、下から剣《けん》を抜《ぬ》くかたちだと、力が弱いと、どうしてもスピードが遅《おそ》くなるし、人が斬れているように見えないですから。その殺陣が斬れているように見えなかったら、成り立たない映画ですのでねえ。二時間、もたせられないですよね。とてもね。

その意味では変わった役柄《やくがら》だし、よく私を選んでやらせてくださったなあと思いますねえ。

まあ、あれは不思議な役でしたが、たぶん、あれが「八重《やえ》の桜」につながってるのかなあ。流れ的には、たぶん、水面下で連ドラの「八重の桜」の、ああいう銃《じゅう》を撃《う》ったり、薙刀《なぎなた》を振《ふ》ったりすることにつながってはいるのかなあと思うんですけどね。

殺陣《たて》でスピード感を出すのは難しい

綾瀬はるか守護霊　だから、スピード感がどこまで出せるかでしょ？　ケガしないようにしようとすれば、ゆっくりやらなきゃいけないので。コマを早回しにしたら、やっぱり、分かりますからね。実速で、スピード感がある程度出せなければいけないから。

でも、ああいう竹光《たけみつ》（竹などでできている模造の刀）みたいなものを振ってても、下手《へた》すると当たりますからね。変な振り方でいっぱい何人も斬ってると、当たるとケガするんですよね。切れたり、目に当たったりしたら、大変なことになりますので。

だから、「かなりの速度を出しながら、ケガをさせないようにする」って、けっこう難しいんですよね。音はほかに吹《ふ》き込みを入れますから、実際に斬っている音は、別に入れるからいいんですけど、速度を保つと、やっぱり難しさがあることはありますね。「相手にケガをさせない」っていうのは大事なことなので。けっこう、いろんなところに当たりますから。うーん、難しいですね。

私もちょっと、運動はやってたことがあるし、運動神経には多少自信があるところはあったんですけど、剣道《けんどう》をやったわけじゃありませんので。むしろ剣道をやってる人だったら、ああいう殺陣《たて》はできないかもしれない。ちょっと〝正統〟に斬りたくなるだろうから。

実はあれは、周りの男性たち、「斬られる役」をやる人たちがうまいんですよ。ほんとは「斬る役」よりも、「斬られる役」のほうがうまいと、演技がうまく見えるんですよ。「うまい斬られ方」っていうのが、けっこう難しいんですよね。ほんとはそうなんです。

5 綾瀬はるかの「好感度」の秘密

「恋人《こいびと》にしたい女性有名人一位」であることを、どう思う？

愛染　メディア文化事業局のスター事業部におります、愛染と申します。よろしくお願いいたします。

今、いろいろとお話をお伺《うかが》いしておりますと、「ナチュラル」とか、「田舎《いなか》の」とかいうキーワードが出てきたのですが、そう言いつつも綾瀬はるかさんは、二〇〇〇年の第二十五回ホリプロタレント　スカウトキャラバンで、審査員《しんさいん》特別賞を取られています。

その後、今おっしゃいました、映画では「ＩＣＨＩ《いち》」ですとか、ドラマでは「八重《やえ》の桜」や「きょうは会社休みます。」など、いろいろな話題作に主役で出られていますし、二〇〇九年の映画「おっぱいバレー」では、第三十三回日本アカデミー賞の優秀主演女優賞《ゆうしゅうしゅえんじょゆうしょう》を取られています。

それ以外でも、女性タレントの総合ランキングで上位をキープされていますし、「恋人《こいびと》にしたい女性有名人ランキング」でも第一位……。

綾瀬はるか守護霊　うーん……。それは、どうしても理解ができないですね。

愛染　「田舎」と言いつつも、そのような好感度ランキングで一位という今の状況《じょうきょう》について、どのように思っていらっしゃいますか。

綾瀬はるか守護霊　恋人にしたい女性有名人のナンバーワンって、どうしても私は理解できないんですよ。みんな、「天然《てんねん》、天然」と言う……。その「天然の人」を恋人にしたいですか？　本当に？　どうも分からない。

石丸　天然だけではなく、「日本女性の奥《おく》ゆかしさ」とか……。

綾瀬はるか守護霊　奥ゆかしさねえ。

石丸　いろいろな演技で見られる綾瀬さんの表情が、男性にすごくウケているのではないかと思います。

綾瀬はるか守護霊　「奥ゆかしい」って、そんなに言われないんですよね。

そんなに言われない言葉。

石丸　本当ですか。

綾瀬はるか守護霊　ええ。ですから、「八重の桜」をやるときでも、お師匠《ししょう》さんの女性なんかに座敷《ざしき》の歩き方を指導とかされても、けっこう泣きそうになるぐらいつらかったです。すり足で座敷の上を歩いて、畳《たたみ》の縁《ふち》を踏《ふ》まないで歩くんですよね。あれをすり足で踏まないで歩いていって、襖《ふすま》の開《あ》け閉《し》めをするの。ああいうのを厳しーく躾《しつ》けられると、ほんと泣きそうになるぐらいで、ほんとにつらいですね。

天然の〝逆〟の部分かもしれませんが、仕込《しこ》まれるのはけっこうつらいところがあって、自分にできない演技がいっぱいあるっていうこと。やっぱり、それがつらいですね。だから、ワイルドにやるのはできても、細《こま》かく……。ですから、ほんとは恋人にしたいんでしたら、よくできた人がいいんじゃないですか。よくいろんなことに気がついてやってくださる方とかが、ほんとは恋人にはいいんじゃないですか。だから、何か間違《まちが》えてるんじゃないでしょうか。

CM撮影《さつえい》で心掛《こころが》けていることとは?

愛染　綾瀬さんは、おそらく、「天然」「ナチュラル」だけで人気が出ているわけではないと思うんですね。ナチュラルだけで、テレビCMにあれだけ起用されるということは、基本的にないのではないかと思います。企業《きぎょう》が、「CMにこの人を使いたい」と思う場合には、「企業イメージが必ずアップする」とか、「景気をよくしたい」という企業側の切なる願いもあると思うんです。

綾瀬さんは、ＣＭにたくさん出ていらっしゃいますけれども、こうした企業の願いを、どういうかたちで受け止めて、ＣＭ撮《ど》りをされていらっしゃるのでしょうか。


綾瀬はるか守護霊　アハッ、考えてないんです、何も（笑）。

ほんとに考えてなくて、仕事が入ったら、それをやって……。まあ、気持ち的には、もちろん、「その商品が売れるといいな」っていう気持ちを込めてやっております。

せっかく依頼《いらい》してくださったのはありがたいことでございますので、そういうふうに思って自分に暗示《あんじ》をかけてるんです。飲み物とか食べ物でも何でもいいんですけども、「これが自分はいちばん好きなんだ」っていうふうな気持ちになろうと思って、暗示をかけて撮影《さつえい》に臨《のぞ》むようにはしているんですけど。

うーん。暗示はかけてますね、自分にね。自己暗示はかけてます。「その商品とかが好きなんだ」っていう暗示はかけてるけど、ほかの方でも上手な方がたくさんいらっしゃるんで、なかなか、そのへんは分からないですね。「どういうところがウケるか」と言われても……。

なぜ、綾瀬はるかはＣＭに起用されるのか

愛染　ただ、「企業から使いたいと思っていただけるのは、どんな仕事も全力でなさっているから」と聞いたことがありまして。

綾瀬はるか守護霊　まあ、色が付きにくいのかもしれません。

「天然、天然」と言われるのは、実は色が付きにくくて……。何かの役をやったら、その役に染まってしまう方がいらっしゃるじゃないですか。「ほかの役ができない」っていう。

そう言ったって、「ＩＣＨＩ」で、座頭市《ざとういち》のボロボロの服を着て血が飛びまくる逆手斬《さかてぎ》りの役をやったら、例えば食品だとか、衣料とか、そんなもののコマーシャルに使いたいかって言ったら、使いたくはないと思うんですよね。そのイメージがズバッとすごく入ったらね。

だけど、いろんな役をしても、ほかの役になったら、「綾瀬はるか」に戻《もど》ってくるっていうか、自然体に戻ってくるみたいなところかなあ。それがいいんでしょうかね？　何かのコマーシャルに出ても、物としては売れるけども、「その会社の人」っていう感じにならなくなるのかなあ。そんなところを思われてるのかもしれないし。

あるいは、ああいうコマーシャルを企画される方がいらっしゃるんでしょうし、会社でも企画して失敗したら責任が出るから、そういう減点法で考えて、「成功したい」と思うよりは、「比較《ひかく》的失敗しにくい」と思って使ってくださっているのかもしれないなあと思う。

あんまり、私の特色が強く出すぎると、やっぱり、好き嫌《きら》いがはっきり出てきますから、「好き嫌いがはっきり出にくいタイプの女優なのかな」というふうに思うんです。ほんとは「好感度」がたくさん集まってるっていうわけじゃなくて、好き嫌いが出にくいっていうことなんじゃないですかねえ。

あるいは、もしかしたら、コマーシャルは都会の人がつくろうとするけど、都会の人だけが購買《こうばい》者じゃなくて、田舎の人もテレビで観《み》てるから、田舎の人が観て、「とても自分が使うようなものじゃない。買うようなものじゃない」と思ったらいけないので、「田舎性も備えてる」っていうところが魅力《みりょく》なのかもしれない。

一つの作品が終わったときのリセット法

愛染　ということは、「何色《なにいろ》にでも染まることができるし、染まらないこともできる」という、すごく奥深い演技力をお持ちなのかもしれないですね。

綾瀬はるか守護霊　演技では（役に）なりきろうとはするんだけど、終わったら、そのイメージをいちおう脱《ぬ》ぎ捨てるんですよね。もう一回、〝マネキン〟に戻《もど》ってしまって。マネキンにはどんな服を着せてもきれいに見えるでしょう？　ああいう〝マネキン〟に戻っちゃうように努力してるんですよ。戻らない人もいらっしゃるけど、私は戻ろうとしているので。

だから、スーパーマンの役をしたら、もうスーパーマン以外の役ができなくなるとか、アイアンマンの役をしてる人が、ほかの役で出たら、「何か変だなあ」と思うような感じ？　そういうのを抱《いだ》かせないようにしてるので、〝マネキン〟と言えば〝マネキン〟で、「いろんな服を着せても似合うようには努力している」っていうところでしょうかね。

「染まって、染まらない」ようなところはあるのかなあ。それを天然というなら、天然なのかもしれません。

「染まって、染まらない」

ようなところはあるのかなあ。

それを天然《てんねん》というなら、

天然なのかもしれません。

綾瀬はるか守護霊の
魔法のコトバ

6 「女優という仕事」について

大河《たいが》ドラマ「八重《やえ》の桜」を振《ふ》り返って

愛染　一つ、演技でお伺《うかが》いしたいところがあるんですけれども、「ＩＣＨＩ《いち》」という座頭市《ざとういち》で……。

綾瀬はるか守護霊　ああ、こだわりますね、なんか。

愛染　（笑）いえいえ、「ＩＣＨＩ」で見事な殺陣《たて》を披露《ひろう》されたので、私もびっくりしたんですけれども、そのあと、「八重《やえ》の桜」というＮＨＫの大河《たいが》ドラマの主役を見事に演じ切られまして、非常に頑張《がんば》られたなあと感じました。

ただ、八重さんの役はものすごく難しかったと思うんですね。

綾瀬はるか守護霊　難しいですねえ。あれは難しい。まあ、生きてたときにお会いしてればあれでしょうけど、「ああいう女性がいた」っていうことがイメージできないですからねえ。ちょっと非現実な女性ですよね。ある意味でねえ。それで、一人で二つの人生をやらなきゃいけないので、あれは難しかった。成功したのか、失敗したのか、私には分かりません。

あれは確かに長かった。一年やりましたから、ある意味でのイメージは付いてしまったかもしれませんけども、まあ、意図《いと》がありましたからねえ。「東北の人を元気づける」っていう意図があってつくられた作品ではあるので、努力して、そういう意図に近づけなきゃいけないと思いましたので。

私の場合は、（出身地の）広島のほうも原爆《げんばく》とかで被害《ひがい》を受けておりますので、そういうのを頭に置きながら、「被災《ひさい》された方々や、やる気を失《な》くされた方々に元気が出るように、あるいは、日本中に元気が出るように演技できればいいなあ」と思ってやってやってたんですけど。

やっぱり、「女だてらに戦って人を撃《う》つ女性」っていうのは、日本ではそんなに人気が出ない……。アメリカのハリウッド映画なら、かっこいいアクション女優っていうことで、すごくかっこよくできますけど、日本では、「女性が人を撃ち殺す」みたいなのは、そんなにかっこいいとは思われないんじゃないでしょうかねえ。

だから、あれは、ある意味で難しかった。私の役としては成功した役でもあるけれども、ある意味では「天然《てんねん》」と言われつつも、色が付いた役ではあるのかなあ。

あれで確かに東北の女性のイメージが付いてしまったために、以後、やや〝被害〟が出たことは事実です（笑）。しゃべり方がもとに戻《もど》らなくなってしまったので。ほんとに「田舎性《いなかせい》」が強く出てくるようになってしまって、ちょっと困りましたけど（笑）。

未来の綾瀬はるかは何役ができるか

愛染　今、綾瀬はるかさんや武井咲《たけいえみ》さん、北川景子《きたがわけいこ》さんといった若手の方々が、日本の芸能界を引っ張ってくださっていると思います。

綾瀬はるか守護霊　ありがとうございます。「若手」って言ってくださって、ありがとうございます。

愛染　いえいえ。また、それぞれの方に素晴《すば》らしい個性があって、それぞれに輝《かがや》いて、日本を明るくしてくださっていると思うのですが、綾瀬はるかさんの価値、なくてはならない価値というのは、どういうものだと思われますか。

綾瀬はるか守護霊　いや、もう、〝だいたい終わってる〟と思うんですよ。私にできる演技は、もうそんなに多くはない。もう残ってないので。だから、「〝中年以降の綾瀬はるか〟は何ができるか」って言うと、もう田舎のおばさんしかできないかもしれない。

モンペをはいて、ほっかむりして、漬物《つけもの》を漬《つ》けてるような役しか、もうできない可能性があるので、まあ、田舎の農家か、あるいは、地酒《じざけ》でもつくってるところの主婦か、もうそんな役しかできないかもしれないですね。

もしかしたら、ローカルテレビ局に移って、そこでレポーターでもやってるかもしれないと思います。アハハハ。

「芸能活動」と「学業」の両立は可能？

愛染　少し話は飛びますが、綾瀬さんは、堀越《ほりこし》高校を卒業されて、大学に入られましたよね？

綾瀬はるか守護霊　はい。ちょっとだけね。

愛染　それで、大学に入られたのですが、やはり、そこを中退されて、芸能活動に専念されたわけですけれども、そうした「芸能活動」と「学業」の両立という面は、いかがだったのでしょうか。

綾瀬はるか守護霊　いや、それは難しいですよね。

愛染　当会も、「サクセスNo.1《ナンバーワン》」という仏法真理塾《ぶっぽうしんりじゅく》で勉強も教えているのですけれども、「そこにも行きたいし、芸能活動もしたい」という子もおりまして、この両立、あるいは、芸能人としての学業のあり方、それから、一般《いっぱん》教養の必要性・大切さということについては、どのようにお考えですか。

綾瀬はるか守護霊　いや、難しいと思いますねえ。

学業をしっかりやろうと思っても、やっぱり、芸能活動はほかの人に合わせなきゃいけなくて、一人でできないので。チームみんなで動くから、みなさんの都合《つごう》に合わせたスケジュールで動かなきゃいけないので、自分のわがままは言えないんですよね。

そういう意味で、学校の大事な授業があるとか、試験があるとか、いろんなことを言われても、それには出られなくなってくるし、広末《ひろすえ》（涼子《りょうこ》）さんみたいに、推薦《すいせん》で早稲田《わせだ》の教育学部とかに入られても、〝追っかけ〟がいっぱい出て、結局、「授業に出られない」っていうようなね。

もう早稲田の学生に待ち受けられたら、もはや登校できないですよねえ。女子トイレにまで、何か盗撮《とうさつ》を仕掛《しか》けられたりして、お気の毒に。結局は、行けなくなってしまったのもあるので。

まあ、人気がなければ勉強はできる。人気が出れば勉強はできなくなる。こういう関係にはあるので（笑）。だから、ほら、天は二物《にぶつ》を与《あた》えてくださらないんですよ。なかなか両方はいかないんです。

「仕事を取るか、学校を取るか」の選択《せんたく》基準

綾瀬はるか守護霊　ですから、北川景子さんみたいな方は、明治大学をご優《ゆう》秀《しゅう》で卒業なされたけども、自分が「クールビューティー」と言われることをねえ、何か「嫌《いや》だわ」というイメージを持っておられる（＊）。私は、「天然」と言われて、「嫌だわ」と言っている。

　だから、入れ替《か》えればよろしいですが、やっぱり、（北川さんは）勉強された方のイメージが残ってるんでしょうねえ。女優にしては、勉強をちゃんとなされたから、その部分ができる。

　将来性としては、要するに、「中年以降、三十歳《さい》以降、芸が続けられるか」と言えば、ああいうふうな「クールビューティー」って言われるような頭のよさそうな方

＊『女優・北川景子　人気の秘密』（大川隆法 著／幸福の科学出版）
2015年2月6日、北川景子守護霊の霊言を収録。守護霊は、「私みたいなのをクールビューティーと言ってはいけない」と語った。

は、たぶん、いろんな役ができる可能性は高いと思いますね。いわゆる、恋《れん》愛《あい》以外の役でも、できるようになってくるはずなので。

そういう、「長く活動する」という意味では、勉強をしっかりなさっていくことも悪いことではないと思いますが、「今、人気があるときに、できるだけ〝全力疾走《しっそう》〟する」という意味では、やっぱり、勉強のほうを犠牲《ぎせい》にせざるをえないところがあると思う。

それは、もう個人個人の人生設計だと思うんですよね。

私は、そんなに、「ずっと長く」とは考えてはなかったので。だいたい、オーディションも、最初から「自分がスターになる」なんて思ってはいなかったですねえ。

何かのついでに行ったときに、たまたま引っ掛かったような感じだったんです。友達だったかなあ？　何か自分のあれじゃなかったような。何かのときに、引っ掛かっちゃったんですよね。なんだか、そんな感じだったような気がするので(*)。

「たまたま、人気が急に出てしまったので、いろいろ役がいっぱい回ってきて、それでやっているうちに、忙《いそが》しく十年が過ぎていった」っていう感じですかねえ。

だから、「学業」と言っても、そんなに、別に……。それは、東大でも入ってればねえ、やっぱり卒業に執着《しゅうちゃく》しますけどね、ちょっとはしますけども、大した大学じゃなかったですから。まあ、出ても出れなくても、他人《ひと》は気にしないぐらいの学校でしたので(笑)。

最近は、東大を卒業されてからキャスターになられたり、女優さんになられたりするような方もいらっしゃいますけど、でも、長く勉強された方は、やっぱり、役者としては、何か使える幅《はば》に限界はあるようではあるので。

＊ 綾瀬はるかのデビューのきっかけとなったオーディション「ホリプロタレント スカウトキャラバン」への出場は、友達の付き添いで、東京に遊びにいくような感覚で受けたものだったという。

まあ、人によりけりですけどね。いろんな転身が可能なので、いろんな役がありますけどねえ。

男性でも、それは、慶応《けいおう》を出ておられる「嵐《あらし》」の方とか、東大を出ておられる、今、有名俳優の方もいらっしゃるので、勉強されたことが役の幅を広げていくことはあると思うんです。

たぶん、「後半生に仕事があり続ける」っていう意味では、勉強なされたほうがいいんだろうと思うけども、まあ、それがあるかどうか分からないっていうことであれば、現在ただいま、仕事があるんだったら、やっぱり、それはやらなきゃいけないし、勉強のところは、〝二宮尊徳流《にのみやそんとく》〟で、本当に、「夜、灯《ともしび》を点《とも》してでも、勉強しなきゃいけない」っていうような感じで、ちょっと無理をしなきゃいけないところはあるかもしれませんねえ。

7 綾瀬はるかが愛される理由

「愛されるポイント」は○○すぎないこと？

石丸　今、デビュー当時のことや高校時代のことなども少しお話に出ました。そうした「芸能界」という、すごく厳しい競争社会のなかで、綾瀬さんは、「最初は、たまたま引っ掛《か》かったようなものだ」と、今おっしゃっていたのですけれども、そのなかで、「セカチュー（世界の中心で、愛をさけぶ）」でありますとか、「ホタルノヒカリ」でありますとか、「八重《やえ》の桜」もそうですし、いろいろなタイミングで、すべてチャンスをつかんでいっておられます。

今、すごい存在感を放《はな》たれている女優だと私は思っているのですが、ほかの女優と差をつける存在感の出し方といいますか、そうした輝《かがや》き続ける女優になるために、何か努力されているのでしょうか。

綾瀬はるか守護霊 うーん……。だから、「愛されるポイント」は、「完璧《かんぺき》でないから」なんじゃないかなあと思うんですよ。

やっぱり、ドジをチョッチョッとしていくから、そこのところで何か親近感が入るっていうか。みんなも一生懸命《いっしょうけんめい》、「仕事で成功したい」と思うけど、「(私が)ポロッとミスをする。だけど、ポロッとミスをしても、何とか許される」っていうところが何か共感を呼ぶのかなあ。

だから、「ハッピーフライト」にしても、ドジを踏《ふ》むキャビンアテンダントですよね。いいところが大してないキャビンアテンダントだし(笑)、「プリンセス　トヨトミ」にしたって、たこ焼きの玉を下に落とすような、ドジなあれですけど。どこにでもいるようなところというか、そういう平凡性《へいぼん》が ありながら主役が取れるみたいな、この矛盾《むじゅん》したところが、ある種の、人を〝吸い寄せてる〟部分になってるのかなあと。

完璧すぎると、やっぱり距離《きょり》ができてしまって、「自分はあんなふうにはなれない」と思われるところだけど、〝遠くにいるスター〟っていうのは、「遠くにいるように見えて、もしかしたら身近にいるかもしれない」っていう臨《りん》在《ざい》感があると、何かファンが増えるのかなあっていう感じですかねえ。

綾瀬はるかの不思議な「魅力《みりょく》」の秘密

綾瀬はるか守護霊　だから、「おっぱいバレー」で言えば、「新任で転勤してきた若い女の先生が、弱い弱い（男子バレー）部員に対して、男の子たちの話術にたまたま引っ掛かって、『勝ったら、おっぱいを見せてあげる』

と言って、約束したみたいなかたちになってしまった」っていう、まあ、実にいやらしいテーマではあるんだけど。うーん、「見せるか見せないか」って、映画を観《み》た人は、みんな最後まで気になるじゃないですか。「勝ったら見せるのかな、どうかな」とか。

そうやって引っ張って、見せやしないんですけど、まあ、引っ張ったりして。でも、教師としては、〝禁断《きんだん》のチョンボ〟を犯《おか》してはいますよね、明らかにね？ 禁断のチョンボを犯しているけども、そういう、完璧な教師役でなくて、ちょっと抜《ぬ》けてる教師のようなものを、ちょっとずつ、つくってはいってるんです。

まあ、「八重の桜」なんかは、本当は緊張《きんちょう》感のあるものだったから、あんまりチョンボしてはいけない役柄《やくがら》ではあって、そういう意味では、きつかったことはきつかったとは思うんですけどね。〝ジャンヌ・ダルク〟の役といったら、それは、きついですよね。

「復興のシンボルになる」っていう、かなり重い使命があったので、ある意味で、ちょっとだけ、〝天然《てんねん》〟じゃなくなって、〝圧力〟がかかって曲がっちゃったかもしれませんね。

ただ、自分としては、ある意味で地《じ》ではあるんですよ。だから、ちょっと抜けるところが、地としてあることはあるのだけども、意外にそれをよく知らない人が、「美人女優だ」とか、「かわいい」とか言ってくださることも多くて、その誤解の部分と地の部分をミックスしたところが〝異質な発明〟なんじゃないでしょうかね？　たぶんね。ウフフフ。

（石丸を指しながら）あなただって、美男子《びだんし》なのに抜けてるように見えるところが、すごく〝異質な結合〟ができていて（会場笑）、何かすごい発明なんじゃないですか？

石丸　異質な……って、怪《あや》しい（笑）。

綾瀬はるか守護霊　人気、出るかも。

石丸　本当ですか。

綾瀬はるか守護霊　ええ。

もし、質問者をプロデュースするとしたら

竹内　（石丸を指しながら）では、例えば、彼みたいなタイプを綾瀬さんがプロデュースして、もっと魅力《みりょく》を出すには、どこを押《お》したらいいですか。

綾瀬はるか守護霊　そうですね、やっぱり、そんないい格好をする必要はないんじゃないですかね？

石丸　ああ。

竹内　例えば……。

綾瀬はるか守護霊　やっぱり、〝作務衣《さむえ》（僧侶《そうりょ》が掃除《そうじ》などをする際に着る衣）〟を着て出てくるのが、いちばん似合ってる。

石丸　作務衣ですか。

竹内　（笑）

綾瀬はるか守護霊　うーん、似合ってると思いますね。箒《ほうき》を持って出てくると似合ってる。箒を持って、作務衣を着て、そこに座《すわ》ってると、すごく注目しますね、やっぱり。「何なんだろう？」と思って……。

竹内　それが魅力なんですか。

綾瀬はるか守護霊　（石丸を指して）「何かご修行《しゅぎょう》なされてるんですか」って訊《き》きたくなりますね。

石丸　（苦笑）それは、どういった……。「ギャップ」ということですか？若い男性が作務衣などを着ていると、やはり、すごくいいですか。

綾瀬はるか守護霊　そうですね。ズボンもちょっと短めにしてますよね。

石丸　はい。

綾瀬はるか守護霊　背が高いんだろうと思うけど、ちょっと短めにしていますよね。こういうのは流行《はや》りなのかもしれませんけど、むしろ私なんか、もうダブダブにしたい感じがしますね。

竹内　ああ。

綾瀬はるか守護霊　ダブダブのズボンをはいて、下は裾《すそ》をすってるぐらいのほうが……。「どうして、そうした裾をするのよ。まくり上げなさいよ」って言ってみたくなる感じはある。

竹内　ああ。〝完璧ではないところ〟に、やはり、綾瀬さんの魅力があるわけですね？

綾瀬はるか守護霊　うん、そうなのかなあ。

（愛染を指して）この方なんかだって、いろいろと〝ご注意〟申し上げたいところは、いっぱいありますよ。

愛染　（笑）

綾瀬はるか守護霊　そうとう自分をセーブなさってるでしょう？

愛染　（笑）

綾瀬はるか守護霊　私の写真集に、この人を紛《まぎ》れ込《こ》ませたって分からないんじゃないかと思う、たぶんね。だけど、上手に隠《かく》しておられる感じがしますね。

どこにでもいるような、

そういう平凡《へいぼん》性がありながら

主役が取れるみたいな、

この矛盾《むじゅん》したところが、

ある種の、人を“吸い寄せてる”部分に

なってるのかなあ。

綾瀬はるか守護霊の
魔法のコトバ

8 「美」をキープするための心掛《こころが》け

綾瀬はるかは〝プリンプリン体質〟？

竹内　「綾瀬さんは過密スケジュールでも肌《はだ》が荒《あ》れない」というのは、ホリプロでも、けっこう有名な話らしいのですけれども……。

綾瀬はるか守護霊　そうです。肌はそうなんですよね。

竹内　今、「完璧《かんぺき》ではないところに、逆に美の価値基準がある」という話があったと思いますが、このあたりは、どう関係してくるのでしょうか？

綾瀬はるか守護霊　うーん、これは、でも、体質も多少はあるかもしれないので。〝プリンプリン体質〟っていうのは、やっぱりあることはあるんです。

まあ、鍛《きた》えて鍛えられる部分もあるけど、鍛えられない部分もあるじゃないですか。

竹内　はい。

綾瀬はるか守護霊　ね？　そういうところが、やはり、どうしても残るので、まあ、これは親から頂いた部分もあるのかなあとは思うんですが。

役づくりのときに気をつけていること

綾瀬はるか守護霊　おそらくですね、〝天然、天然〟と言われているけども……。あの、よく知りませんよ、ほかの方のことを言ったら怒《おこ》られるから、ちょっと言っちゃいけないかもしれないけど、北川景子《きたがわけいこ》さんは、（自分の顔の眉間《みけん》を指差しながら）このへんに、少し〝縦《たて》のあれ〟が……、眉間に〝厳しいの〟が入ってません？

竹内　そうですか（苦笑）。

綾瀬はるか守護霊　でしょ？　私は、そんなに入らないですよね。だから、（北川さんは）真剣《しんけん》なんだと思うんです。ものすごく真剣にやっておられるんだと思うんですね。一生懸命《いっしょうけんめい》にやっておられるんだと思うんですよ。

だけど、（私は）そこまでは行かないところで、役どころをいちおう済ましているので、ある意味で、完璧主義ではないのかもしれませんねえ。〝八十点主義〟なのかもしれません。

もちろん、脚本《きゃくほん》に忠実に、監督《かんとく》に忠実にやろうと一生懸命やってますけど、それは本当に短時間のなかで一生懸命やろうとしてるわけで、「役づくりで完全になりきるために、自分をあんまり〝変形〟させすぎて頑張《がんば》る」っていうところまでは……。

まあ、最初はそうだったかもしれないけども。「世界の中心で、愛をさけぶ」のあたりは、ちょっと頑張ったかもしれないけど、だんだん、そうではなくなったかもしれないので、たぶん私は〝助走《じょそう》〟が短いかなと思います。

竹内　助走ですか？

綾瀬はるか守護霊　だから、一般《いっぱん》の女優さんたちが、その作品でＯＫを取るというか、監督のＯＫを取るまでにかかる時間に比べると、たぶん助走が短いんじゃないかと思う。

比較《ひかく》的早いうちにＯＫを取れるところが、そう神経質にならずに済む部分で、縦ジワが入らないっていうか、憂《うれ》い顔とか緊張《きんちょう》顔とかが、そんなに必要ない部分なのかなあ。

でも、まあ、できるだけ、〝複雑系の役〟もできるようになろうと、今、努力はしてるんですけどね。

綾瀬はるかの理想の体型キープ術

竹内　先般、北川景子さんの守護霊様にお話を伺《うかが》いましたら、「女優として美しくなるために、食べても食べても太らない。この秘訣《ひけつ》に、私の秘密があるんです」とおっしゃっていました。

綾瀬はるか守護霊　いや、太りますよ、食べたら。やっぱり、ねえ？

竹内　いや、それが北川景子さんは太らないそうで、そこに彼女の隠《かく》れたパワーがあるらしいんですね。

綾瀬はるか守護霊　ああ、それが「クールビューティー」なんでしょう。そ

REIGEN Column 2

北川《きたがわ》景《けい》子《こ》守《しゅ》護《ご》霊《れい》が語る「美貌《びぼう》の秘訣《ひけつ》」とは？

北川景子守護霊　やっぱりね、私の最大の特技はね、「たくさん食べて、太らないこと」だと思います（笑）。みんな食を細くしてね、野菜だけ食べて、朝食だけで終わりにするとか、頑張っていらっしゃるでしょ？　でも、あれでは、ほんとはいい仕事ができないんですよね。ちゃんとしっかり食べなきゃいけないんですが、食べると必ず太るんですよ。

これが難しいところですね。だから、「食べても太らない術」を身につけたら、芸能界では、成功する可能性はかなり高いですね。それは、やっぱり“秘術”ですので。

Book

『女優・北川景子　人気の秘密』
大川隆法 著／幸福の科学出版

more

- **凛とした「美オーラ」の秘密**
- **女優としての未来像を語る**
- **過去世はあの「絶世の美女」？**

こが、たぶんね。

竹内　ええ。それで、綾瀬さんが、もし北川さんに対抗《たいこう》して、何か美しくなるために、もしくは、女優としてやっていく上で、大事なものを挙《あ》げるとしたら、何を挙げますか。

綾瀬はるか守護霊　うん。やっぱり、胸のサイズは維持《いじ》することが大事でしょうね。胸のサイズを維持しながら、ほかのところは太らないようにしなきゃいけないですね。ほかも太っちゃったら、もう、ただ太った女性がそこにいるだけですから。

竹内　そうですね（苦笑）。

綾瀬はるか守護霊　だから、胸のサイズを維持しながら、ほかのところは太らないようにに維持しないといけないでしょうね。これは、やっぱり、十分対抗できる武器にはなりましょうか。

竹内　う−ん。それは、けっこう難しいと思うのですけれども……。

綾瀬はるか守護霊　難しいんです。

竹内　どうすればいいですか。

綾瀬はるか守護霊　難しいんです。そうならないんです。あんまり、ならないんですよ。

だから、女性で、「出るところが出て、くびれるところはくびれる」っていうのは、簡単そうで、そんなに簡単じゃないんですよ。全体に痩《や》せるか、全体に太るか、どっちかになっちゃって、思うようにはなかなかいかないんですよね。

まあ、これは、やっぱり、体質なんかと関係があるかもしれませんけどね。「スポーツなんかで、どういうものができるか」っていうようなところと関係があるかもしれません。

竹内　ほかに、「それはイメージトレーニングなんだ。自分のスタイルは、イメージすることだ」と言っている人もいました（*）。

＊『「神秘の時」の刻み方』（大川隆法 著／幸福の科学出版）
2014年7月13日、深田恭子守護霊の霊言を収録。守護霊は、スタイルや美肌を維持する秘訣を訊かれ、「フカヒレ」や「プリン」のような自分をイメージしていると語った。

綾瀬はるか守護霊 ああ、なるほど。

竹内 綾瀬さんは、どのように努力されているのでしょうか。

綾瀬はるか守護霊 でも、よく映像に撮《と》られたり、写真に撮られたりはしてますから、そのへん、自分の体や顔つきの変化は見てはいますので。まあ、そういう目を持ってる人は、やっぱり用心《ようじん》はするでしょうから。

例えば、「ここに、たるみが出た」とか思うと、ちょっと引き締《し》めをするとか、単純なことですけど、そういうことですよね。

ある意味で、

完璧《かんぺき》主義ではないのかも

しれませんねえ。

“八十点主義”なのかもしれません。

綾瀬はるか守護霊の
魔法のコトバ

9 なぜ、綾瀬はるかは景気をよくするのか

「主役」を演じるときに心掛《こころが》けていること

綾瀬はるか守護霊 あとは、何でしょうかねえ……。

あと、もうひとつ不思議な感じは、周りの人が……、要するに、「脇役《わきやく》に当たる部分の人たちのほうが自分の上役《うわやく》をやってる」っていう役が、わりあい多いんですよ。「脇役に当たる部分の人が上役をやっていて、主役の部分が下《した》っ端《ぱ》」っていう役がわりあい多かったので、意外に、これは、そうは言っても難しいんですよね。

「下っ端なのに主役を取る」っていうと、ほかの人よりも、ものすごく〝で

きる〟みたいな感じでないかぎり、役が取れないことが多いんですよ。だけど、「下っ端なのに、〝抜け〟ながら主役を取る」っていう、これが難しいんですよね。ここが難しいんですよ。それで、ほかの脇役をやってくださる方々を納得《なっとく》させなきゃいけないので。

脇役をやってる方のほうが、実は、芸はうまい場合が多いです。細《こま》かい芸がすごくうまいところがあるので。そこで、「年下で少し下手《へた》に見えて抜けてるのに、なぜか〝世界の中心〟にいるように見える」っていう、かたちですかねえ。

竹内　そうした感じというのは、どうすれば出てくるのですか。

綾瀬はるか守護霊　うん、まあ、主観ですけど、たぶん、「ロ・ケ・チ・ー・ム・全体・

に対して責任感を感じてる」っていうところじゃないでしょうかねえ。

竹内　ああ。

綾瀬はるか守護霊　やっぱり、脇役の方は、全体にまでは責任感を感じていないとは思うんですよ。「自分の演技のところが、うまく映《は》えてるかどうか、組み合わさってるかどうか」は見てると思うんですけど、全体までは行《い》ってないんじゃないですかね。

だから、（私は）無邪気《むじゃき》にやってるようでも、「全体観っていうか、全体的にどうなってるか、撮影《さつえい》がどうなってるか」を見てるんですね。

あるいは、撮影が続かずに、休みのときもありますよね。雨が降ったり、いろいろ都合《つごう》がつかなかったり、コンディションが合わなかったりして、行かないときとか。
でも、みんな共同で時間を過ごしてますので、「何となく中心にいなきゃいけない」っていう感じ、「全体の中心、一座《いちざ》の中心にいる」っていう感じは、背中で、毛穴《けあな》でひしひしと感じてはいます。

〝天然《てんねん》〟で大きな経済効果を生む不思議

竹内　確かに、ドキュメンタリー番組で観《み》たのですけれども、綾瀬さんは、カメラマンやいろいろな方々に話しかけて、場を盛り上げていて、スタッフの方々が、「本当に綾瀬さんと仕事をすると気持ちがいいし、逆に救われる人がたくさんいる」と言っていました。

綾瀬はるか守護霊　ただ、無理はしないようにはしてるんです。無理して、みんなを持ち上げて、気配《きくば》りをするほどまでやったら、今度は演技のほうの質が落ちてくるので、それはしないようにしてるんです。

だから、それを〝天然流《てんねん》〟というのかもしれませんけれども。まあ、「年収が何億ある」とか、先ほど言われましたけども、そんなの気にしてないんです。

竹内　お金のことは、あまり気にしていないのですか。

綾瀬はるか守護霊　全然、気にしてないんです。自分は自分なので、「そんなときもあるし、そうでないときもあるだろう」と思ってるので。

竹内　そこが少し気になるのですけれども、綾瀬さんの〝経済効果〟というのは本当に大きくて……。

綾瀬はるか守護霊　（笑）〝経済効果〟!?　（手を頭に当てて）アターッ……。

竹内　（笑）例えば、「八重《やえ》の桜」のときは、会津若松市《あいづわかまつ》の観光客が前年より百万人多くなったりとか……。

綾瀬はるか守護霊　いや、それは、最初から、そう希望されたんだと思いますけどねえ。

竹内　それで、ある調査によると、「『八重の桜』が会津若松市に及ぼした経済効果が約二百億円ある」という結果が出ていまして……。

綾瀬はるか守護霊　二百億円ですか。

竹内　ですから、けっこう、綾瀬さんが動くところに〝富《とみ》の風〟が吹《ふ》いてきて、お金が動いているんですね。実際、ホリプロのほうも綾瀬さんで潤《うるお》っていると思いますし。

綾瀬はるか守護霊　まあ、それは、ちょっと、いろいろと厳しいけど……。

竹内　ただ、「ご本人はそれを望んでいるわけではない」ということで、このギャップは、なぜ出てくるのでしょうか。

綾瀬はるか守護霊　うん……。まあ、ホリプロのことを言うと〝祟《たた》り〟があるといけないから、ちょっと……。

竹内　（笑）はい。

綾瀬はるか守護霊　それは、ホリプロは、ほかにも優秀《ゆうしゅう》な女優さんがいらっしゃいますので。

竹内　そうですね。

綾瀬はるか守護霊　まあ、役どころでは、みなさん、それぞれ激しく頑張《がんば》ってらっしゃるので、ちょっと言いにくいこともあるんですけども。

演技は、ほかの方のほうがずっとうまいような気はします。私よりもずっとうまいんじゃないかなあ。ずっとうまい役をやってる……。深田恭子《ふかだきょうこ》さんとか、ずっと演技がお上手だと思います。

でも、私は、演技で上手に見せるところまで、まだ行ってはいないんだけども、なるべく地《じ》のままで、行けるところまで行こうとしてはいるんです。地のままで行けるところまで行って、そこから先の行けないところについては、努力して、自己演出して、つくっていこうとはするんですけど。

「ありのままの綾瀬はるか」で通るところまでは、できたら通してみたいなと思ってるんです。その意味では、ちょっと肩《かた》の力は抜いてるのかなあとは思います。

ただ、ずっとうまい方のような、表情のちょっとした変化で、いろんなものを表現するようなうまさが、まだ出てこなくて、「いつも、綾瀬はるかの顔に見えている」っていうところを、やっぱり言われてますので、まあ、そういうところかなあ。

名優・高倉健《たかくらけん》からのアドバイス

綾瀬はるか守護霊　あと、最近、亡《な》くなられた高倉健《たかくらけん》さんに、「人の言うことなんか聞くなよ」って、何か、ずいぶん言われたんですけどね。「迎合《げいごう》するな」と、（生前の）高倉さんはおっしゃったんですよ。「自分流で貫《つらぬ》け」って言うんですよね。

だから、「いろいろ注文つけてくるけど、それ全部に合わしてたら、自分自身がなくなるぞ」って言うんです。「自分がいろんな人に合わせてやっているうちに〝溶《と》けて〟しまって、なんだか分からなくなって、自分自身が分からなくなるから、もう自分流で貫いて、聞くな」っていう。「聞かない」とか、

REIGEN Column 3

高倉健が語る“名優の条件”とは？

高倉健　私は、演技ができんのよ。演技ができんからさ、何をやっても、「高倉健」で、全部、同じなわけよ（笑）。

全部、高倉健なんだけど、みんな、それを知ってて観てくれるのよ。「高倉健は、“高倉健の役”しかできないだろう」っていうのを知ってる。（中略）

要するに、「ほかの人を諦めさせられる」ということが、“名優の条件”なんだと思うんだ。

「わしは、こういうふうにしか使えんから、こういうふうな役にしてくれ」と言って、ストーリーも、脚本も、周りの配役も変えさせ、「こういう人で、こういうふうに使うしかないから、ほかの人が、それに合わせてくれ」と言わせると、主役に見えてくるわけよ。

Book

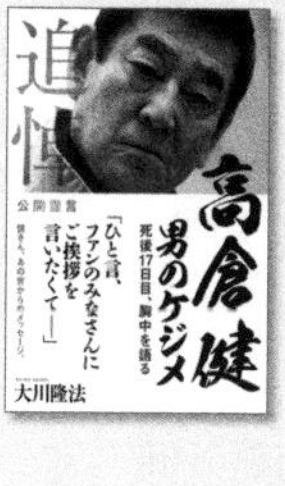

『高倉健　男のケジメ
―死後17日目、胸中を語る―』
大川隆法 著／幸福の科学出版

more

- **なぜ、「義理と人情」に生きるのか**
- **高倉健が語る「男の美学」**
- **ファンに贈る最後のメッセージ**

「聞くな」っておっしゃるので。

まあ、ちょっと、そこまでの自信はないから分からないんですけども。何となく、印象的には、綾瀬はるかのままで、役を演じ切れるところまでは演じ切ろうと思って、演じ切れないところについては、やっぱり、あとはそれを努力して頑張ろうとは思ってますけどね。

ボロを着ても美しい〝美オーラ〟を自己分析《ぶんせき》

愛染　綾瀬はるかさんは、どの役でも、やはりお美しいと思うんですね。

綾瀬はるか守護霊　はあ。

愛染　例えば、「ＩＣＨＩ《いち》」の座頭市《ざとういち》の役のときには、ボロを着ていらっしやったのですが、それなりの美しさを持っていらっしゃいましたし、「八重の桜」で、鉄砲《てっぽう》で人を撃《う》ったりするようなときも、普通《ふつう》の女性だったら、本当に土にまみれて、少し汚《よご》れるような感じの表現になっていたのかなと思うのですが、そうではなく、綾瀬さんの美しさは、ずっとあったと思うんですね。

そういう意味では、綾瀬はるかさんの美しさというのは、本当に、変わらない美しさで、それが、一つの象徴《しょうちょう》だと思うんです。その〝美のオーラ〟というものを、ご自分では、どのように感じておられますか。

綾瀬はるか守護霊　分からないけど、今だったら（収録当時）、「イスラム国」のテロが有名になってるから、やっぱり、〝銃《じゅう》を撃つ女〟っていうのは、ちょっとできないかもしれませんねえ。まあ、時期によるのかもしれません。今ならできないかもしれませんから。

　でも、格好としては美しくない格好もずいぶんやらされることがあるので（笑）、「全部が全部、美しい」とは、必ずしも言えない役はありますね。美しくない役もあるので。死体同然の役をやらされることもあるし、「全部が全部、美しいかどうか」は、私としては分かりません。

　だから、うーん……。でも、やっぱり、人の組み合わせがあるから、その相性《あいしょう》で、そういうふうに見えるところがあるのかなあ。相性が悪ければ、そうは見えないかもしれないので、私のようなタイプを好きな人は、やっぱり……。まあ、嫌《きら》いな人も、いることはいるんだろうとは思うんですけどねえ。

　ここの大川先生が、「なんで、これが美人なんだ？」って、ずーっと言われるので、私も困ってるんですけどね（会場笑）。いやあ、そのとおりです。そうおっしゃるとおりなんです。「美人」の類型には入らないかもしれないんですよ。

一般的《いっぱん》には、いろんなかたちの美人を出して、残りの空《あ》いてるところに、何ていうのかなあ、はめ絵みたいな感じで入るような感じなんで、いわゆる「美人」っていうかたちで、代表的に出てくるスタイルじゃないと思うんですよねえ。うーん、いわゆる美人じゃない……。

だから、極端《きょくたん》な、いろんな美人を出し尽《つ》くしたら、あとで、どっかに隙間《すきま》が空いて、そこにはまる〝あれ〟なんですよねえ。

「ありのままの綾瀬はるか」

で通るところまでは、

できたら通してみたいなと

思ってるんです。

綾瀬はるか守護霊の
魔法のコトバ

10 演技にかける情熱を語る

「ストッキングを被《かぶ》る」という衝撃《しょうげき》のシーン

石丸　綾瀬さんのドキュメンタリーなどを観《み》ていましても、もちろん、外面的な美もあるのですが、いろいろな撮影《さつえい》シーンなどで、真剣《しんけん》に劇に打ち込《こ》んでいる綾瀬さんの姿が、私もすごく印象的でした。

また、〝干物女《ひものおんな》〟の話になって申し訳ないのですが、ドラマ「ホタルノヒカリ」の撮影現場でも、藤木直人《ふじきなおひと》さんが、「綾瀬さんのひたむきさに驚《おどろ》いた」とおっしゃっていたと思います。女性なのにストッキングを被《かぶ》って、「帽子《ぼうし》だ」と言い張るシーンがあって、「絶対に、これは何か文句《もんく》を言うに違《ちが》いない」と言っていたのに、綾瀬さんは、本当に被って、それを家でも練習してきたということでした。

何でもやる綾瀬さんの、監督《かんとく》に合わせていく、何でも要望に応《こた》えていくという、その女優としての情熱の部分というのは、どこから来るのでしょうか。

綾瀬はるか守護霊　いや、いや、私のほうが訊《き》きたいぐらいなんですから。「ホタルノヒカリ」が代表作みたいに言う方がいらっしゃるんですけど、大川先生みたいに、「あの演技が嫌《いや》だ」って言う方もいらっしゃるんで、どこが嫌か教えてほしいんです……。

石丸・愛染　（笑）

綾瀬はるか守護霊　どういうところが嫌ですか。

石丸　そうですね、私は、どちらかというと、すごく共感するといいますか……。

綾瀬はるか守護霊　あなたは、愛してくださるのね（会場笑）。

石丸　はい。私は、ああいう感じに、すごく癒《い》やされるといいますか、好きなんですけれども（笑）。

綾瀬はるか守護霊　あなたは愛してくださる……。ありがたい、ありがたいです。じゃあ、私は、あなたみたいな人を選びます。

石丸　（笑）

綾瀬はるか守護霊　うーん、そうですかあ。いや、許してくださる方もいらっしゃるわけね。

石丸　ええ。

綾瀬はるか守護霊　大川先生が、「あの演技は嫌《きら》いだ」と、あんまりお好きじゃないような言い方をされるので。「バットで殴《なぐ》ったろか」みたいな感じの言い方をされたから……。私も、そこまで言われたことはないので（会場笑）。

石丸　「トップ女優らしくない」ということで……。

綾瀬はるか守護霊　（大川隆法が）監督だったら、許さないんでしょうね。監督が替《か》われば……。あの監督（吉野洋《よしのひろし》）は、ああいう演技を求めたけど、〝大川監督〟なら、たぶん、許さないんですね。

だから、その部長役の方（藤木直人）がおっしゃったとおりに、「綾瀬はるかに、こんな役をさせるか」って言ったほうの感覚に近いんでしょうね。

石丸　はい。そうですね。

綾瀬はるか守護霊　たぶんね。ストッキングを頭に被って、「帽子です」と言い切るなんていう、「こういう非現実な役を、こういう女優にやらすな」っていう方《かた》なんでしょうね。

石丸　はい。

綾瀬はるか守護霊　うーん。だけど、その非現実なのをやるところに喜ぶ視聴者《しちょうしゃ》も、いることはいるんでしょうね。

「ああ、こんなバカなことをやってみたい」っていうか、「言い張ってみたい」っていうか、ストッキングを頭に被って、「これは、帽子なの！　帽子なの！」って無茶《むちゃ》を言い張るバカ女役をやってるのを見て、「かわいい」と感じる男性もいたり、「ああいうので、かわいく見えたらうれしいな」と思う女性もいるということなんでしょうね。

あえてイメージを壊《こわ》すわけとは？

石丸　そこを演じるに当たって、どういう思いで、視聴者にその演技を見せようとされているのでしょうか。その表現の部分で……。

綾瀬はるか守護霊　あれね。まあ、もっともっと、毀誉褒貶《きよほうへん》の両方が出ると思ったんですけど。

たぶんですねえ、昔、竹中直人《たけなかなおと》さんが、大河《たいが》ドラマで（豊臣《とよとみ》）秀吉《ひでよし》役をされたときがあったと思うんですけども（＊）。そのときに、温泉ばっかり入ってて、女性ばっかり追いかけて、褌《ふんどし》で走り回ってるような秀吉をされて、「こんなカルトドラマは、大変なことになるんじゃないか」みたいなことを自分で言ってて、意外に評判になったことがありました。

＊ 1996年、NHK大河ドラマ「秀吉」。

たぶん、竹中さんは、それをされたときには、私が「ホタルノヒカリ」をやったときと同じような気分になられたんじゃないかなあと思うんですね。

そういう意味で、何というか、たまには難しい言葉も言ってみてもいいかなあと思うんですけど、いわゆる「創造的破壊《はかい》」って言うんですかね？　なんか、「新しいものを創《つく》り出すために、あえて、イメージをぶち壊《こわ》してしまう」みたいな感じも、ある意味では、一つの面が開《ひら》けるので。

「ここまでメチャをやるんだったら、こういう役でもできるかな」っていう新しい役が、また出てくる〝あれ〟があるじゃないですか。『美人女優として、そういう役しかしません』とか、『ツンとすましてる役しかしません』とか、『いい役以外は受けません』とかっていうようなかたちだったらやらないけど、これをやってくれるんだったら、こんなのでもやってくれるんじゃないか」っていうような……。

だから、いちおう、挑戦《ちょうせん》はいつもしてるんです。（してる）つもりなんです。

「天然《てんねん》」以外に「体当たり精神」も持っている

綾瀬はるか守護霊　「世界の中心で、愛をさけぶ」だったら、頭を丸坊主《まるぼうず》にする十代の女性（の役）？　したくはないですよね、普通《ふつう》はね。

それから、「G《ジー》．I《アイ》．ジェーン」をやった、ハリウッド女優がいましたよね。すごく有名な方でしたよね（＊）。

愛染　ええ。

綾瀬はるか守護霊　頭を坊主にされましたよね。海兵隊員《かいへいたいいん》の役をして……。

＊ 女優のデミ・ムーアは、映画「G.I. ジェーン」（1998 年日本公開／日本ヘラルド）で海軍特殊部隊の女性訓練生を演じたが、劇中で丸刈りにするシーンがあった。

愛染　はい。

綾瀬はるか守護霊　あれは、「頭を坊主にするので、十億円を要求した」っていうようなことを、確か、聞いた覚《おぼ》えがあるんですけど、私が頭を坊主にしても、十億円はくれませんけどね（会場笑）。だけど、やっぱり、「そういう有名女優を坊主にする」っていうのには、十億円取るぐらいの……。まあ、しばらく、ほかのものに出られないですからね。

ただ、やっぱり、「体当たりでやろう」と思った面はあるし、「自分には、これはできないんだ」っていうことを断定しないような努力をして、「無理かなあと思っても、いちおう、体当たりでやろう」と思う気持ちはあるんです。

その「体当たり精神」のところというのを、「真面目《まじめ》」というふうに捉《とら》える方もあるし、「一生懸命《いっしょうけんめい》だ」って捉える方もあって、まあ、そこのところを評価してくださってるんじゃないかなあと思うんですね。

だから、「ナチュラル」や「天然《てんねん》」という言葉以外で、私自身に言わせていただければ、「体当たり精神」を持っているので、「やれ」と言われたら、やっぱり、「やります」と。

「清純派か、悪女役か」という芸能界のセオリー

綾瀬はるか守護霊　ただ、周りが、多少、守ってくださってることもあるので、ホリプロ所属の方でも、少し〝危険な役〟をやっておられる方もいるけど、まだ、私には、そういう役はやらせてくださいません。

まあ、「清純派で続けられる寿命《じゅみょう》」っていうのがあるんでしょ？　だから、これがどこまで引っ張れるか。引っ張れるところまで清純派で引っ張って、引っ張れなくなったら、ちょっと変化形として、いろんな悪女役とか、そうい

うのもやらせたりして、変化形をつけていくんだと思う。

要するに、野球の投手でいうと、直球で勝負できるうちは直球で投げるけど、直球では速くても、だんだん、球《たま》を合わせられ始めたら打たれるじゃないですか。いくら甲子園《こうしえん》で百五十キロ出してても、「速いだけ」っていうことが分かっていれば、研究して、だんだん合わせてこられるじゃないですか。そうすると、カーブだとか、いろんな変化球を投げるように、組み合わせなきゃいけなくなってくるでしょ？

（芸能界も）そういうのと一緒《いっしょ》で、「相手が直球で空振《からぶ》りしてくれるうちは、直球を投げ続ける」っていうのが、いちおう、基本セオリーです。

やっぱり、事務所、プロダクションとしては、女優とかも、〝直球〟で引っ張れるところまでは引っ張りたくて、〝直球〟だけでは引っ張れないと思ったら、複雑な、いろんな役とか、悪女役とかも、あえてやらせたりもするようになって、役者寿命を延ばそうとしていかれるんだというふうに思うんですね。

だから、天真爛漫《てんしんらんまん》に振る舞《ま》ってるように見えるけども、たぶん、プロダクションの方は、「これでもつ間《あいだ》は、やらせよう」と考えていらっしゃるのかなあと。年齢《ねんれい》が行って、三十を超《こ》えてくると、天真爛漫であることが、単なるボケに見えてくるときが、たぶんあるはずで（会場笑）、「その歳《とし》で、そんなに天真爛漫っていうのは、いわゆる、頭が悪いということですね」と思われる可能性があるわけです。

いわゆる、〝中間管理職年齢〟になってきたら、もうちょっと、部下を指導する役みたいなのができなきゃいけなくなってくるじゃないですか。

竹内　うーん。

綾瀬はるか守護霊　だから、そういうところで、いちおう、芸能界でのセオリーみたいなのはあるのかなあと思います。

それで、あんまり早いうちに、何ていうかな、例えば、〝汚《よご》れ役〟みたいなのをいっぱいやりすぎると、色が付いてしまって、ちょっと、清純派には戻《もど》れなくなるんですよね。あんまり、そういうのに使われすぎると。

だから、うーん、まあ、「清純派で使う」っていうのは、野球でいくと、「直球勝負型の投手」ということなんだと思うんです。「行けるところまでは行く」ということなんだろうと思うんですねえ。

「新しいものを創《つく》り出すために、
あえて、イメージをぶち壊《こわ》してしまう」
みたいな感じも、ある意味では、
一つの面が開《ひら》けるので。

綾瀬はるか守護霊の
魔法のコトバ

11 人の上に立つリーダーの成功術

「監督なし、台本なし」でどこまでできるか

竹内　今、お話しくださった、その「創造的破壊《はかい》」、そして、「体当たり」というのが、やはり、綾瀬さんの人気の秘密だと思います。

今、幸福の科学には、政党（幸福実現党）や支部があり、全国各地に支部長がいるのですが、綾瀬さんから見て、彼らが「創造的破壊」をして、ある意味、魅力《みりょく》を出していくには、どのようにしたらいいと思いますか。

綾瀬はるか守護霊　ちょっと、そういう難しい仕事をやってる方のことは、

私にはよく分からないんです。

映画とかに出演するときには、原作があるし、脚本《きゃくほん》があるし、監督《かんとく》がいて、共演者がいて、それらを組み合わせてつくられるので。やっぱり、「指揮者が指揮するのに合わせて演奏している部分」は、どうしてもあるので。もし、メインの楽器の演奏者であるとしても、そういうところがあります。

だから、そういう、政党だとか、支部長だとかいうような方々に、「どういうふうにやればいいか」っていうようなことを、私がアドバイスできるかっていえば、ちょっと、私には難しくて分かりません。

ワンパターンしかできないと限界が来る？

綾瀬はるか守護霊　ただ、詳《くわ》しくは分からないんですけども、ここの大川総裁も、すごい、いろんな仕事をされているようには見えます。本も、いろんな種類を出しておられるように見えます。宗教の真剣《しんけん》な本も出しておられるけど、こういう、芸能人を相手にしたような本も出しておられて、けっこう難しい〝変化球〟を投げていらっしゃるとは思うんですよね。

でも、これは、お弟子《でし》さん側になったら、実は、難しいんだろうと思うんですよ。

ワンパターンのほうが、まねしやすいと思うんです。ワンパターンでやってくれたほうが、きっと、まねしやすいけど、落差があったら……。要するに、〝球種〟が多いと、弟子のほうは全員、それが投げられなくなってくるから。

「直球だったら直球だけ投げる」っていう、ただ、それだけだったらやりやすいけど、「直球と、カーブと、シュートと、スライダーと、いろんなものを上手に配球して、三振《さんしん》に打ち取るんだ」と言われたら、どうやって配球したらいいのかが分からなくて、たぶん難しいんだと思うんですよね。だから、そのままで行くと、自然な才能に合わせたことになるんだと思うんですけども。

まあ、一つのポイントは、「信者」というのかな？　会員さんっていうか、そういう方がいらっしゃる場合には、そういう人たちに人気が出てきて、「多くの人が話を聞いてくださる」とか、「見てくださる」とか、そういうふうな感じになってきているか、減っていっているかっていうことを、内部的には見なければいけないだろうし。

政党なんかは、外に対しての〝あれ〟だったら、やっぱり、選挙があるたびに、一回一回、「支持率がどう変化したか」の理由を研究してみることが、大事なのかなあとは思いますけどね。

竹内　うーん。

綾瀬はるか守護霊　これはちょっと、私には、そこまでは、何とも申し上げかねるんですけども。

うーん、まあ、代表の方のまねをしようとなされてるんだろうけども、たぶん、いろんな〝演技〟をなされるので、同じようにはできないのかなというふうには見えますすね。

竹内　そうですね。

「自分流の工夫《くふう》」と「イメージトレーニング」

綾瀬はるか守護霊　それは、私たちの世界でも同じようなことが言えるんですけどね。

「同じ事務所にいるから、みんな同じような演技ができるか」っていったら、そんなことはないんであって、やっぱり、「その人にできる演技」っていうのは、あることはあるし。生まれつきの容貌《ようぼう》や体格や運動神経から、頭のよし悪《あ》しまで、いろんなものを含《ふく》めて、「使えるかどうか」っていうのはあるので。

だから、やっぱり、それぞれの方が自分流に工夫《くふう》するところは要《い》るんじゃないかと思うんですね。

たぶん、（幸福の科学の人々は）役者みたいに、台本があって、「このとおりにやれ」って言われたり、監督がついて見てくれてたりするわけではないんだろうから、『監督なし、台本なし』のときに、自分としてどこまでやれるか」だと思うんです。役者で言えば、アドリブの部分になるかもしれませんが、ほとんどがアドリブで任《まか》されてるときに、「あなたはどうするか」っていうことなんだと思いますね。

竹内　うーん。

綾瀬はるか守護霊　だから、支部長さんなり、政党の候補者なりでしたら、いちおう、「ぶっつけ本番になる」と思ってるかもしれないけど、やっぱり、その前の日あたりから、イメージトレーニングは要るんじゃないかなあと思うんですね。

「これをやったら、どんなふうになるか」「こういうふうに言ったら、どうなるだろうか」「こういうふうな出方をしたら、どうなるか」「こんなふうな服を着たら、どうなるか」「こんなふうな演説をしたら、どうなるか」「話にこういうことを入れてみたら、どういうふうになるんだろうか」とか、やっぱり、頭のなかでのイメージトレーニングは要るんじゃないかと思うんです。

それに、「自分の素材のよさとを合わせて、どんなことができるのか」っていうことなんじゃないかなと思うんですけどねえ。

まあ、これ以上は、私にはちょっと難しいので分かりません。

竹内　ありがとうございます。

頭のなかでのイメージトレーニングは

要《い》るんじゃないかと思うんです。

それに、「自分の素材のよさとを合わせて、

どんなことができるのか」っていう

ことなんじゃないかな。

綾瀬はるか守護霊の
魔法のコトバ

12　綾瀬はるかのスピリチュアルな秘密

魂《たましい》のルーツは簡単には明かしたくない？

竹内　先般《せんぱん》、深田恭子《ふかだきょうこ》さんの守護霊様とお話をしたときに、「深田さんの守護霊様は、美の女神《めがみ》の世界にいらっしゃる」というお話をお聴《き》きしました（＊）。

綾瀬はるか守護霊　あ、そうなんじゃないですか。

竹内　綾瀬さんの守護霊様は、今、どういった世界でお仕事をされていらっ

＊ 前掲『「神秘の時」の刻み方』参照。

REIGEN Column 4

女優・深田恭子の「神秘的な魅力」の秘密とは？

深田恭子守護霊　神様に訊かないと、何を美しいとしておられるのかは、私にはよくは分からないんですけれども。ただ、世の中に潤《うるお》いを与えようとしておられるのかなとは思ってるんですよ。（中略）

あと、私は、運命とか神秘力のようなものを、とても感じるので。運命は信じるし、神秘的な力をすごく信じてるので、そういう、何て言うか、神様や天使たちの霊力みたいなものを、できるだけ「気」として吸い込んで、表していきたいなあというふうには思っているのです。

ですから、「できるだけ神秘的な女優であり続けたいなあ」という気持ちを持っていますけどねえ。

Book

『「神秘の時」の刻み方
―女優・深田恭子 守護霊インタビュー―』
大川隆法 著／幸福の科学出版

more

- **癒しオーラ・美オーラの秘密とは？**
- **守護霊が語るキャリアプラン**
- **気になる「過去世」は……？**

しゃるのですか。

綾瀬はるか守護霊　（軽く首をかしげながら）私ですかあ？

竹内　はい。

綾瀬はるか守護霊　うーん、何なんですかねえ、うん、うーん……。この調査があることは知ってはいるんですが……。

竹内　知っていましたか（笑）。

綾瀬はるか守護霊　まあ、〝偉《えら》い方〟が多いので、困りますねえ。

石丸　日本的な竜宮界《りゅうぐうかい》（＊）とか、そういった世界は？

綾瀬はるか守護霊　ではないですね。

石丸　ではないですか。

綾瀬はるか守護霊　たぶん、ないですね。

竹内　周りには、どんな方がいらっしゃるのでしょうか。

綾瀬はるか守護霊　エヘヘへ（笑）。うーん……。みなさん、上手に切り抜《ぬ》

＊日本の竜宮界は、水辺の景勝地《けいしょうち》などとつながっている霊界《れいかい》で、女性霊は女神・豊玉姫《とよたまひめ》を中心として、美や芸能を司《つかさど》り、女性の生き方を指導している。

けておられるんですよね。ほかのみなさまがたね。

竹内　いや、けっこう明かされている人もいらっしゃいますので。

綾瀬はるか守護霊　そうですかあ。

竹内　正直にお話しされたほうが、よろしいかと思います。

綾瀬はるか守護霊　そうですかねえ……。どうですかねえ。

竹内　深田さんと同じ事務所で……。

綾瀬はるか守護霊　職業的に、どうです？　芸能人以外だったら、どんな職業が、私にできそうに見えます？

竹内　うーん……。意外に、商売系ができそうな……。

綾瀬はるか守護霊　商売系ができるように見える？　あ、タバコ屋の看板娘《むすめ》みたいな？

竹内　いや、そういうわけではないんですけど（笑）。

綾瀬はるか守護霊　あ、いいですね。うん。そういうのもいいかもしれない。うん。できるかも。

竹内　うーん。あとは、天皇家とか。

綾瀬はるか守護霊　え、そういう……（笑）。そんなに偉いわけないいんじゃないですか。

竹内　そうですか。

綾瀬はるか守護霊　ええ。そんなに偉いわけない。

竹内　では、分類しますと、霊界《れいかい》としては日本神道《しんとう》なのですか。それとも、別の霊界なのでしょうか。

綾瀬はるか守護霊　うーん、「ずばり日本神道」っていう感じでもないです。

竹内　ない？

綾瀬はるか守護霊　うん。……ような気がします。

竹内　では、ギリシャやインド、イタリアなど、芸術の強い地域がありますが、どちらになりますか。

綾瀬はるか守護霊　うーん、よく分からないですねえ。うん、うーん……。宇宙人かもしれない、もしかしたら。

「ひみつのアッコちゃん」みたいな星に縁《えん》がある?

竹内 (笑) 少し話は飛びますが、確かに、次は、三谷幸喜《みたにこうき》さん作の宇宙人関連の映画に出演されるんですよね(*1)。「宇宙」は、何か関係があるのですか。

綾瀬はるか守護霊 あるかもしれませんね。なんだか、地球で長く生きてるような気がしないんですけどね。

竹内 ああ……。確か、深田恭子さんはベガ星《せい》に縁《えん》があったと思うのですが(*2)。

*1 綾瀬はるかは、2015年10月公開予定の三谷幸喜監督作品「ギャラクシー街道《かいどう》」(東宝)に出演予定。
*2 前掲《ぜんけい》『「神秘の時」の刻み方』で深田恭子守護霊は、深田恭子は宇宙のベガ星の力を引いていると語った。ベガ星人についてはp.187参照。

綾瀬はるか守護霊　へえ、そうなんですか。

竹内　綾瀬さんは、どういう星の人たちと関係があるのですか。

綾瀬はるか守護霊　うーん、まあ、〝怪《あや》しい星《ほし》〟でしょうね、きっとね。

竹内　どんな星ですか。

綾瀬はるか守護霊　怪しいんじゃないですか。たぶん、「ひみつのアッコちゃん」みたいな星なんじゃないでしょうかね。

竹内　うーん。その星の人は、どんな姿をされていますか。

綾瀬はるか守護霊　うーん。自由に変化するんじゃないですかねえ。

竹内　あ、では、ベガ星ということですか。

綾瀬はるか守護霊　いやあ、知りません。

竹内　名前までは分からない？

綾瀬はるか守護霊　分からないけど、なんか、でも、うーん。美しい方が多いような気がしますけども。

（竹内に）あなたも、何となく、どこかで見たような感じがする。

竹内　ああ、そうですか。

綾瀬はるか守護霊　うん。

竹内　どこでお会いしました?

綾瀬はるか守護霊　うーん、どっかの星で。

竹内　プレアデスですか?(*)

綾瀬はるか守護霊　うーん、かなあ。

＊質問者の竹内は、地球での転生《てんしょう》以前の過去世《かこぜ》において、プレアデス星人であったことが判明している。『現代の竹内文書《たけのうちもんじょ》』(宗教法人幸福の科学刊)参照。プレアデス星人については次ページ参照。

Column

プレアデス星人&ベガ星人とは?

愛と美と発展のプレアデス星人

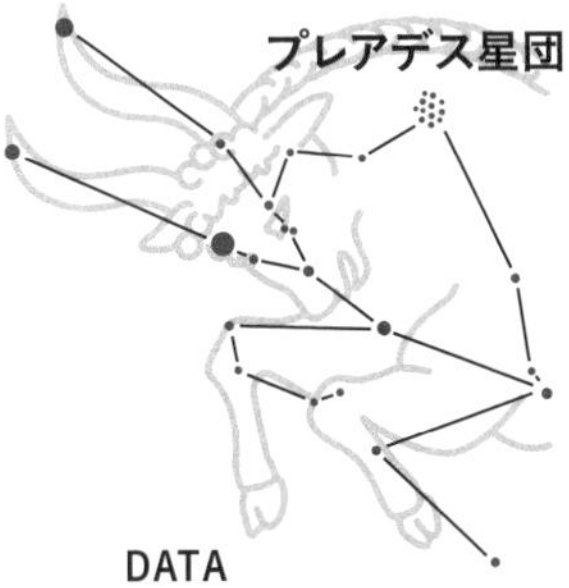

プレアデス星人は、愛と美に溢《あふ》れ、調和を大切にしながら発展を目指す宇宙人。北欧人のような外見の美男美女が多く、肌がうっすらと発光しているという。

魂のルーツとしてプレアデスに縁があるとされるのは……

マリー・アントワネット	アポロン
ナイチンゲール	アフロディーテ
マグダラのマリア	W・ディズニー
エリザベス・テイラー	沖田総司《おきたそうじ》 など

DATA
位置:おうし座
和名:すばる
地球からの距離:約400光年

自由自在に変化するベガ星人

ベガ星人は、「相手が見たい姿」に自由自在に変化する、「鏡《かがみ》」のような宇宙人。科学が高度に発達しており、死人を蘇生《そせい》させるほどのヒーリングパワーを持つという。

魂のルーツとしてベガに縁があるとされるのは……

天照大神《あまてらすおおみかみ》	光明皇后《こうみょうこうごう》
木花開耶姫《このはなのさくやびめ》	吉田松陰《よしだしょういん》
ラムセス2世	木戸孝允《きどたかよし》
女神イシス	深田恭子《ふかだきょうこ》 など

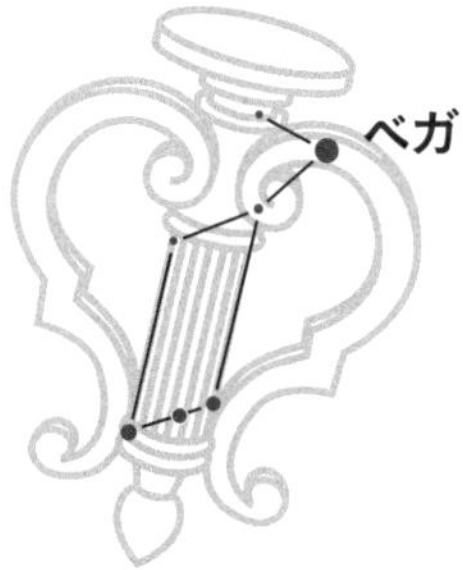

DATA
位置:琴座
和名:おりひめ星《ぼし》
地球からの距離:約25光年

＊ 宇宙人の特徴や転生の情報は、幸福の科学の宇宙人リーディング・過去世リーディングの内容に基づく(2015年3月現在の情報)。

竹内　では、そういった、プレアデス星の方から、どのようなアドバイスを受けられているのですか。

綾瀬はるか守護霊　うーん。たぶん、私は、地球を征服《せいふく》するために送り込《こ》まれた……。

竹内　（苦笑）いやいやいや。話が飛んでいます。

綾瀬はるか守護霊　いや、本当の姿を現したら、それは、もう、トカゲみたいになるのかもしれない。

竹内　いや、たぶん、トカゲの可能性は……。

綾瀬はるか守護霊　いやあ、首長竜《くびながりゅう》になるかもしれない。

竹内　いえ、いえ、いえ。

綾瀬はるか守護霊　（左手を腰《こし》の後ろに回し、右手をクネクネと動かして、首長竜の首の動きをまねしながら）あんな感じで、「グワーッ」と（会場笑）。

竹内　首長竜は、綾瀬さんの役ではなかったので（＊）。

＊綾瀬はるかは、映画「リアル～完全なる首長竜の日～」（2013年公開／東宝）でヒロインを演じた。

綾瀬はるか守護霊　へへへへ。首長竜かもしんない。魂《たましい》の本当の姿は。

竹内　実は、プレアデス星の方から、何か、重要なミッションを受けていらっしゃるのですか。

綾瀬はるか守護霊　うーん……。うん！（低い声色《こわいろ》で）「吾輩《わがはい》は、地球を調査するために送られた調査要員でありまして、ええ」。

竹内　（笑）ああ。

芸能事務所内で〝惑星戦争《わくせいせんそう》〟が起きている？

竹内　では、深田恭子さんとは、どのようなご縁なのでしょうか。

綾瀬はるか守護霊　難しいです。

竹内　難しい？

綾瀬はるか守護霊　お答えは難しいです。

竹内　なぜ、難しいのでしょうか。

綾瀬はるか守護霊　うーん、難しいですねえ。ええ、うーん。なんで難しいのかっていうとですねえ……。うん……。まあ、今、事務所のなかでも、〝惑星《わくせい》戦争〟になっていますから。

竹内　あ、そういうのがあるのですか。

綾瀬はるか守護霊　ええ。

竹内　ああ……。

綾瀬はるか守護霊　多少、やっぱり、ホリプロも〝惑星分裂《ぶんれつ》〟が起きそうな……。

竹内　ちなみに、ホリプロの方もこれを読まれるので、どういう〝惑星戦争〟があるのですか（笑）。

綾瀬はるか守護霊　いや、それは、もう……（笑）。それは恐《おそ》ろしいので、もう、ちょっと……。

やっぱり、所属タレントの〝横綱《よこづな》からの番付《ばんづけ》〟がありますからね。それがいろいろ変動しますから、難しいところはありますよね。

13 芸能界には宇宙のパワーが流れている？

「神秘のパワー」で人気が上がる？

竹内　ちょっと気になるのですが、その「宇宙系のパワー」というのは、「芸能パワー」につながっていると思うのですが……。

綾瀬はるか守護霊　（つながっている）ところもありますね。

竹内　そうですよね。これらは、どのようにつなげているのですか。

綾瀬はるか守護霊　うーん。でも、たぶん、宗教のところとは関係があると思いますよ。「神秘のパワー」のところが働いてるんだと思うんですよ。深田恭子《ふかだきょうこ》さんにも「神秘のパワー」は働いていると思うんですけど、私にも別のかたちでの「神秘のパワー」が働いてるんだと思うんです。

竹内　なるほど。

綾瀬はるか守護霊　だから、実物以上の人気が出てると思います、たぶんね。これは、別の、何か霊的《れいてき》パワーが働いてるようには思います。

竹内　それは、何ですか。

綾瀬はるか守護霊　まあ、「ベガ対プレアデス」なんじゃないですか。

竹内　あ、その二つは、あまり仲はよくないんですか？（苦笑）

綾瀬はるか守護霊　「ベガ星対プレアデス星」なんじゃないですか、実を言うと。

「天然《てんねん》のプレアデス」と「演技派のベガ」

竹内　ベガ星とプレアデス星の「美の力」には、どのような特性があるのでしょうか。

綾瀬はるか守護霊　いやあ、ベガ星はですね、基本的に、相手が望む姿に変わっていくのが特徴《とくちょう》ですよね。

プレアデスは、そのままで輝《かがや》いているのが特徴なんです、基本的には。だから、「天然《てんねん》」といわれるのは、プレアデス系なんです。

竹内　はい（笑）。

綾瀬はるか守護霊　それで、「演技がうまい」と言われるのは、ベガ系なんです。

だから、おたくで女優さんとかをお育てになるなら、「プレアデス系か、ベガ系か」をよく見分けて、演技指導をなされたほうがいいかもしれませんね。

竹内　芸の道を志す人が、例えば、ベガやプレアデス系の光を演技力などのパワーとして宿すには、どういう心を持つのが最もよいのでしょうか。

綾瀬はるか守護霊　ベガ系は、実は、外から見て本質がよく分からないんですよ。ですから、「本当に考えてること」がそんなに分からないですね。

プレアデスはよく分かります。ある意味で自我が確立しているので、「自分が美しい」ということを、みんなに認めさせようとして、本当に一生懸命《いっしょうけんめい》、〝ワーク（仕事）〟しています（会場笑）。それがプレアデス系です。

竹内　なるほど。

綾瀬はるか守護霊　ベガのほうは、「これが美しい」と決めてかかって、「この考え方を広げる」とか、「このスタイルを広げる」とかいうかたちではなくて、お客様に合わせて、星に合わせて、その姿形《すがたかたち》や性格等を変えていくので。

まあ、(プレアデスとベガには)かなり違《ちが》いがありますね。やっぱり、ベガ星でも、イメージはそうとう変わってきます。

一般《いっぱん》に「演技派」と言われるのは、それはベガ系のほうが有利かと思いますが、プレアデス系も、「主役級」を取りやすいタイプが多いですよね。そういう意味ではね。

竹内　ふーん。

綾瀬はるか守護霊　けっこう、芸能系では、ベガ系とプレアデス系が、大きな二つの流れで……、まあ、ほかにもあるかもしれませんが、大きな二つの流れなんです。メインストリーム（主流）の二つですね。

地球には、〝ある調査〟のためにやって来た？

綾瀬はるか守護霊　だから、私は、地球での歴史は、そう長くはないかもしれません。

竹内　そうしますと、地球での過去世《かこぜ》というのはないのでしょうか。

綾瀬はるか守護霊　（にっこりと笑って）だから、宇宙人かもしれません。

竹内　「人間は今世《こんぜ》が初めて」ということですか。

綾瀬はるか守護霊　そんなことはありませんけれども。地球での歴史は、そう長くないかもしれません、もしかすると。

竹内　少し細《こま》かいのですが、地球には何をしに来られたのですか。

綾瀬はるか守護霊　うーん。ですから、「どの人が、おいしそうか」を調べに（会場笑）。たこ焼きや、「豚《ぶた》とか牛《ぎゅう》とかをいろんなお好み焼きにしたら、どれがおいしいかな」っていうのを見に来てるのかもしれません。

竹内　（笑）なぜ、それを秘密にされるのですか。

綾瀬はるか守護霊　えっ？

竹内　何か理由があるのでしょうか。

綾瀬はるか守護霊　だから、まあ、こちらは役者として演技をして、大勢の人を楽しませているんですけども、「地球人には、どんな種類が存在するのか」っていうことが、そのリアクション（反応）として、返ってくるわけなので。

「地球人には、こういう感覚がウケるんだ」「こういう感覚がウケないんだ」とか、「嫌《きら》われる」「好かれる」っていうリアクションを通して、地球の人間の心理分析《ぶんせき》ができるわけですよね。

竹内　ええ。

綾瀬はるか守護霊　だから、「地球で好まれるタイプとは何か」っていうのを調べたかったら、今は、「調査員」を役者で出したりするといいわけですよ。そうすると、どういうのが好まれるのかがよく調査できますよね。

竹内　なるほど。

綾瀬はるか守護霊　香川《かがわ》（照之《てるゆき》）さんなんかも、そうなんじゃないですか。そういう調査員なんじゃないですか。まあ、気をつけたほうがいいですよ。地球人だと思っていたら、大変なことになりますよ（＊）。

＊『俳優・香川照之のプロの演技論 スピリチュアル・インタビュー』（大川隆法 著／幸福の科学出版）
2015年1月17日、香川照之守護霊の霊言《れいげん》を収録したが、守護霊は過去世を明言しなかった。

竹内　（笑）

綾瀬はるか守護霊　あるいは、地球の調査のために来てるのかもしれませんからね。いろんな役をやってみて、評判を見て、視聴率《しちょうりつ》を見て、「こういうふうに振《ふ》る舞《ま》うと、地球では適応しやすい」とか、いろいろとデータを集めてる可能性がありますよ。

次回作の「宇宙人役」はハマり役？

石丸　役者をされている方とかで、ほかにも、プレアデス星やベガ星の方はいらっしゃるのですか。

綾瀬はるか守護霊　たくさんいらっしゃるんじゃないですか？　もちろん、

地球が長い方は、そういう意識があまりない方もいらっしゃいますけど、まだ宇宙の意識が残っている方もいらっしゃいますので。

私なんかは、魂《たましい》の本筋《ほんすじ》は、まだ宇宙のほうに残っているような気がするので。

竹内　そうなんですか。では、そこからエネルギーが流れてきているのでしょうか。

綾瀬はるか守護霊　まあ、そうなんでしょうね。「人間としての実力」以上の評価が出ているように見えるので、たぶん、そうでしょうね。

だから、次はほんと、宇宙人の役でもやるといいと思います。

竹内　まさに、次は宇宙人の役です（*）。

綾瀬はるか守護霊　ええ、そうなんですよ。まさしく、いよいよ本質に迫《せま》ってきているんじゃないですか。

竹内　ああ。では、次回の映画を楽しみにしています。

綾瀬はるか守護霊　だから、宇宙から来て〝人間役〟をするのに、どんな役を経験できるか、一通《ひととお》り全部やって、〝宇宙の図書館〟のなかに寄贈《きぞう》しようとしてるのかもしれませんね。

＊ 前述の2015年10月公開予定の映画「ギャラクシー街道《かいどう》」のこと。

プレアデスは、

そのままで輝《かがや》いているのが

特徴《とくちょう》なんです、基本的には。

だから、「天然《てんねん》」といわれるのは、

プレアデス系なんです。

綾瀬はるか守護霊の
魔法のコトバ

14 人気を引き寄せる「魔法《まほう》」の力

芸能界は魔法《まほう》の世界？

竹内　当会のスター養成部やＨＳＵ（＊）で、これからたくさんの子供たちが育っていきます。

彼らが、プレアデス系の本流の光を受けて、自分の演技力をどんどん増していくためには、どのようにすればよいのでしょうか。それについてアドバイスを頂ければと思います。

綾瀬はるか守護霊　うーん、過去は変えられないので。うーん……、過去

＊HSU（ハッピー・サイエンス・ユニバーシティ）　「現代の松下村塾」として2015年4月に開学の「日本発の本格私学」（創立者・大川隆法）。「幸福の探究と新文明の創造」を建学の精神とする。2016年春、「芸能・クリエーター部門専攻《せんこう》コース」を含む「未来創造学部」が開設予定。

は変えられないですね。

ただ、ある意味では、ちょっとマンガっぽいですけど、「ひみつのアッコちゃん」のなかに、その秘密は入っていますので。

だから、「魔法《まほう》」なんですよ。やっぱり、一般《いっぱん》に芸能界っていうのは「魔法界」なんです。魔法の世界なんです。疑似《ぎじ》現実を見せている世界なので。

竹内　うーん。

綾瀬はるか守護霊　実は、この世のなかで、魔法の使い方を訓練して、仕事にしているところが芸能界であるわけなんです。

それも、できるだけ……、まあ、「汚《きたな》い魔法」もあるからね。ちょっと、両方あるので何とも言えないですが、私なんかは、できるだけ、「美しい魔法」

のほうをやろうとしているほうなんですけども。

いちおう、そういう魔法界とは関係があるんだということです。

それは、やっぱり、「心の力」や「イメージングの力」と関係があって、「宗教的自己実現の力」とも、実は関係があるんです。

そして、そのなかに、「人気を取る秘密」や「富を引き寄せる秘密」が、何か、ちゃんと入っているんだということですね。

その簡単な仕組みとしては、人前にて話をしたり演技をしたりする前に、イメージングをしておくことです。自分が求める像や姿、あるいは、人々を喜ばせている姿等を、心のなかでイメージして、そのあと、体がそれについていくようにする。この「イメージングの時間」を、スター養成部なり大学（HSU）なりで、もうちょっとお使いになられたらいいんじゃないでしょうか。

「魔法《まほう》の力を強める呪文《じゅもん》」とは

愛染　魔法《まほう》の力を強める〝呪文《じゅもん》〟などはあるのでしょうか（笑）（会場笑）。もし、何か、そういう力を強めるようなものがありましたら、教えてください。

綾瀬はるか守護霊　うーん……。平凡《へいぼん》ですし、おたく様でも、十分、言っておられることだと思いますけども、やっぱり、「愛」と「勇気」と「希望」、それと「責任感」。こういうものを感じて生きることだと思います。

それから、主役とかになっていけばなっていくほど、だんだん多くの責任を受けて、「それを背負《せお》っていけるだけの自分になろう。そういう器《うつわ》になっていこう」と努力しなければいけないんじゃないでしょうか。

そういう意味で、「人間的な成長」とも関係があるんじゃないでしょうかねえ。まあ、私はそう思いますね。

あんまり簡単に、「自分はこのままで、永遠に成長しない」というふうに思うのではなくて、いろいろなものに体当たりして、自分の可能性を試《ため》していく。そのなかで、イメージングの力を使っていくことです。

だから、「自分にはできません」って言う前に、やってみて、できないかどうかを試してみる。

例えば、ストッキングを頭に被《かぶ》って、「これは帽子《ぼうし》だ」と言い張る役とかが様《さま》になるかどうか、おたく様の、スターの卵である女性たち全員にやらせてみたらいいわけですよ。たぶん、そう簡単にはいかないでしょう。

愛染　はい。

綾瀬はるか守護霊　おそらく、「できないと思うものに体当たりしていく精神」は、芸能界であろうと、他の芸術の世界であろうと、あるいは、発明の世界であろうと、経営者や企業家《きぎょうか》の世界であろうと同じだろうと思うんです。

普通《ふつう》はできないと思うことに体当たりして、それを「やってのける」ところまで行《い》った人は高い評価を受ける。結果的には、多くの人の支持を受けて、収入もついてくることになる。まあ、こういうことになると思うんですね。だから、体当たりして、それで砕《くだ》け散っちゃ駄目《だめ》なんですよ。体当たりして、一発で砕け散っちゃったら、それで終わりで。

岡田准一《おかだじゅんいち》さんが、ゼロ戦に乗って突《つ》っ込《こ》んで、砕け散って、それで（手を振りながら）〝さよなら〟になって、もう帰ってこなかったら、岡田准一さんは、それで終わりなんですよ（＊1）。ゼロ戦で散っても、また〝生き返って〟、ほかのところで仕事をするから、いいわけですよね。

愛染　はい。

綾瀬はるか守護霊　そういうふうに、役になりきって（手を一回叩《たた》く）、体当たりすることが大事なんですけども、それをまた糧《かて》にして、次の成長を遂《と》げていくことが大事で、その意味での、〝役柄《やくがら》の転生輪廻《てんしょうりんね》〟は、やっぱり、やらなきゃいけないんじゃないでしょうかねえ。

みなさまには、「体当たり精神」を忘れないでいただきたいなあと思うし、「やってのけて、成功まで持っていく」っていうところ。ここが、やっぱり、

＊1　2013年12月公開の映画「永遠の0《ゼロ》」（東宝）で、主演の岡田准一は特攻隊の教官役を務めた。

一流と二流の力の差だと思います。

竹内　分かりました。本日は、数々の貴重なアドバイスを頂きました。また、宇宙の秘密も明かしていただきまして、まことにありがとうございました。

綾瀬はるか守護霊　お呼びいただきまして、ありがとうございました。「天然」の理由が、意外に宇宙から来ていたということで。「これで、〝東西ブランド対決〟（＊2）を超《こ》えることができたかな？」と思ったりも……。

竹内　そうですね。

綾瀬はるか守護霊　次は、「宇宙対地球」の戦いが始まるのかもしれませ

＊2　前掲『時間よ、止まれ。』で、武井咲《えみ》の過去世《かこぜ》がオードリー・ヘップバーンであると明かされたのに対し、前掲『女優・北川景子《きたがわけいこ》　人気の秘密』で、北川景子の過去世が小野小町《おののこまち》であると明かされたことを指す。

んね。
まあ、ありがとうございました。
竹内　はい。
愛染　ありがとうございました。

「愛」と「勇気」と「希望」、

それと「責任感」。

こういうものを感じて

生きることだと思います。

綾瀬はるか守護霊の
魔法のコトバ

Ⅲ Closing Comments

トップレベルの女優は意外に手強かった

大川隆法　（手を三回叩《たた》く）やはり、あまりよく分からない人ではありましたね。

竹内　（苦笑）

大川隆法　もしかしたら、本性《ほんしょう》は、〝イカ人間〟のような感じだったりするのかもしれません（笑）（会場笑）。

竹内　なかなか、つかみにくい方でした。

大川隆法　いやあ、つかみにくいですよ。分かりやすいようでいて、やっぱり、つかみにくいところがある人です。

（石丸に）「この人（綾瀬はるか）の夫になった」という夢を見続けて、彼女の本性を見たら、横で〝イカ〟になって寝《ね》ているかもしれない。あるいは、〝スルメ〟になって、「これはビールのつまみになっていいな」などというようになっているかもしれませんね（笑）（会場笑）。

分かりやすいようで、意外に分かりにくい人です。完全に分かった感じがしません。

そういう意味では、映画「ＩＣＨＩ《いち》」の女座頭市《ざとういち》のように、役者として腕《うで》が立つのかもしれないですね。「本性をつかまれない」というのは、役者にとって重要事項《じこう》ではあります。「こういう人だ」と思われてしまうのは、実は、甘《あま》いのでしょう。

それをつかまれてしまうと、そのような役ばかり回ってくるので、つかまれないようにして、いろいろな役をこなせるところを見せています。ある意味で、軟体《なんたい》動物のようなところはあるのかもしれません。
どの綾瀬はるかを本物だと思っても間違《まちが》いです。どれも本物ではないのだと思います。「干物女《ひものおんな》」なども演じているけれども、実は本物ではない。〝手《て》強《ごわ》い〟ですね。

竹内　〝手強い〟です。

大川隆法　まあ、どの業界でも、トップレベルというのは、そんなものでしょう。そんなに簡単に見抜《みぬ》かれては、トップにはなれないものなのでしょうね。

竹内　はい。

大川隆法　では、このあたりで、いちおう止《と》めておきましょうか。ありがとうございました（手を二回叩く）。

一同　ありがとうございました。

あとがき

とにかく一生懸命《いっしょうけんめい》に、一作一作打ち込んでいる、まじめな努力家なのだろう。何百人ものスタッフに囲まれつつ主役を演じ切るのは、強い責任感なくして成り立つことではない。素直なところがかわいがられもし、NGなしで演技を一発でやってのけるところに、頼りがいもあるのだろう。

守護霊霊言をやっても、まだまだ本質の探究が十分ではないが、何らかの〝ひみつの魔法〟の力が働いていることだけは確かなようだ。

綾瀬はるかさん、明るいドラマや勇気の出るドラマで、どんどん日本の景気をよくしていってほしい。

「守護霊霊言」にも理解を示して下さる〝ホリプロ〟のますますのご発展も深く祈念《きねん》させて頂くこととする。

二〇一五年　三月三十一日

幸福《こうふく》の科学《かがく》グループ創始者兼総裁《そうししゃけんそうさい》　大川隆法《おおかわりゅうほう》

『景気をよくする人気女優　綾瀬はるかの成功術』大川隆法著作関連書籍

『ローラの秘密』（幸福の科学出版刊）
『時間よ、止まれ。――女優・武井咲とその時代――』（同右）
『女優・北川景子　人気の秘密』（同右）
『高倉健　男のケジメ――死後17日目、胸中を語る――』（同右）
『「神秘の時」の刻み方――女優・深田恭子 守護霊インタビュー――』（同右）
『俳優・香川照之のプロの演技論 スピリチュアル・インタビュー』（同右）

※左記は書店では取り扱っておりません。最寄りの精舎・支部・拠点までお問い合わせください。
『現代の竹内文書《たけのうちもんじょ》』（宗教法人幸福の科学刊）

景気《けいき》をよくする人気女優《にんきじょゆう》　綾瀬《あやせ》はるかの成功術《せいこうじゅつ》

2015年 4 月11日　初版第 1 刷

著　者　大《おお》川《かわ》隆《りゅう》法《ほう》

発行所　幸福の科学出版株式会社

〒107-0052 東京都港区赤坂 2 丁目 10 番 14 号
TEL(03)5573-7700
http://www.irhpress.co.jp/

印刷・製本　株式会社 堀内印刷所

落丁・乱丁本はおとりかえいたします

ISBN978-4-86395-664-3 C0076

大川隆法 霊言シリーズ・人気の秘密に迫る

「神秘の時」の刻み方

女優・深田恭子 守護霊インタビュー

人気女優・深田恭子の神秘的な美しさには、どんな秘密が隠されているのか? 彼女の演技観、結婚観から魂のルーツまで、守護霊が語り明かす。

1,400円

人間力の鍛え方

俳優・岡田准一の守護霊インタビュー

「永遠の0」「軍師官兵衛」の撮影秘話や、演技の裏に隠された努力と忍耐、そして心の成長まで、実力派俳優・岡田准一の本音に迫る。

1,400円

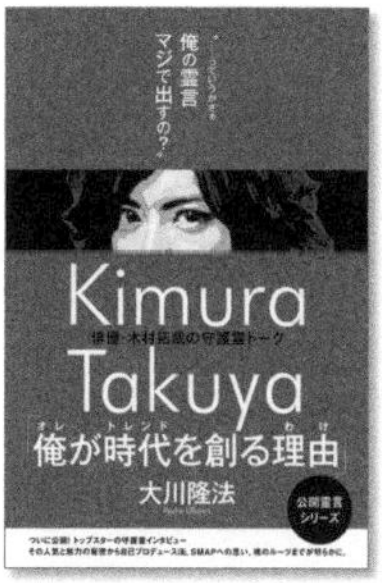

俳優・木村拓哉の守護霊トーク「俺《オレ》が時代《トレンド》を創る理由《わけ》」

トップを走り続けて20年。なぜキムタクは特別なのか? スピリチュアルな視点から解き明かす、成功の秘密、絶大な影響力、魂のルーツ。

1,400円

幸福の科学出版

大川隆法 霊言シリーズ・人気の秘密に迫る

俳優・香川照之の
プロの演技論
スピリチュアル・インタビュー

多彩な役を演じ分ける実力派俳優が語る「演技の本質」とは？「香川ワールド」と歌舞伎の意外な関係など、誰もが知りたい「プロの流儀」に迫る。

1,400円

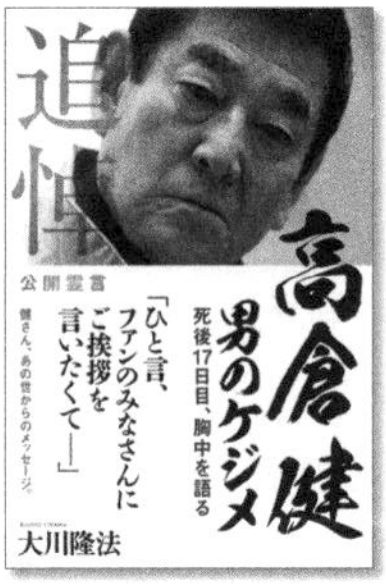

1,400円

高倉健　男のケジメ
死後17日目、胸中を語る

ファンや関係者のために、言い残したことを伝えに帰ってきた――。日本が世界に誇る名優・高倉健が、「あの世」からケジメのメッセージ。

「イン・ザ・ヒーローの
世界へ」
―俳優・唐沢寿明の守護霊トーク―

実力派人気俳優・唐沢寿明は、売れない時代をどう乗り越え、成功をつかんだのか。下積みや裏方で頑張る人に勇気を与える"唐沢流"人生論。

1,400円

※表示価格は本体価格（税別）です。

大川隆法 ベストセラーズ・宇宙人リーディング

1,400円

宇宙の守護神とベガの女王

宇宙から来た神々の秘密

地球に女神界をつくった「ベガの女王」と、悪質宇宙人から宇宙を守る「宇宙の守護神」が登場。2人の宇宙人と日本の神々との関係が語られた。

宇宙からのメッセージ

宇宙人との対話 Part2

なぜ、これだけの宇宙人が、地球に集まっているのか。さまざまな星からの来訪者が、その姿や性格、使命などを語り始める。

1,400円

1,500円

宇宙人との対話

地球で生きる宇宙人の告白

地球人のなかには、過去、他の星から移住してきた宇宙人がいる！　宇宙人として魂の記憶を甦らせた衝撃の記録。彼らの地球飛来の目的とは？

大川隆法「法シリーズ」・最新刊

法シリーズ
第21作

智慧の法

心のダイヤモンドを輝かせよ

2,000円

現代における悟りを多角的に説き明かし、
人類普遍の真理を導きだす――。
「人生において獲得すべき智慧」が、
今、ここに語られる。
著者渾身の「法シリーズ」最新刊

第１章　繁栄への大戦略
――一人ひとりの「努力」と「忍耐」が繁栄の未来を開く
第２章　知的生産の秘訣　――付加価値を生む「勉強や仕事の仕方」とは
第３章　壁を破る力　――「ネガティブ思考」を打ち破る「思いの力」
第４章　異次元発想法　――「この世を超えた発想」を得るには
第５章　智謀のリーダーシップ　――人を動かすリーダーの条件とは
第６章　智慧の挑戦　――憎しみを超え、世界を救う「智慧」とは

※表示価格は本体価格(税別)です。

新刊

アイム・ハッピー

悩みから抜け出す
5つのシンプルなヒント

思い通りにいかないこの人生……。そんなあなたを「アイム・ハッピー」に変える、いちばんシンプルでスピリチュアルな「心のルール」。

1,500円

父が息子に語る「政治学入門」

今と未来の政治を読み解くカギ

大川隆法　大川裕太　共著

「政治学」と「現実の政治」はいかに影響し合ってきたのか。両者を鳥瞰しつつ、幸福の科学総裁と現役東大生の三男が「生きた政治学」を語る。

1,400円

いい国つくろう、ニッポン！

大川紫央　釈量子　共著

幸福の科学総裁補佐と幸福実現党党首が、「日本をどんな国にしていきたいか」を赤裸々トーク。日本と世界の問題が見えてくる「女子対談」。

1,300円

幸福の科学出版

Welcome to Happy Science!
幸福の科学グループ紹介

「一人ひとりを幸福にし、世界を明るく照らしたい」──。その理想を目指し、
幸福の科学グループは宗教を根本《こんぽん》にしながら、幅広い分野で活動を続けています。

宗教活動

宗教法人 幸福の科学【happy-science.jp】
- 支部活動【map.happy-science.jp（支部・精舎へのアクセス）】
- 精舎（研修施設）での研修・祈願【shoja-irh.jp】
- 学生局【03-5457-1773】
- 青年局【03-3535-3310】
- 百歳まで生きる会（シニア層対象）
- シニア・プラン21（生涯現役人生の実現）【03-6384-0778】
- 幸福結婚相談所【happy-science.jp/activity/group/happy-wedding】
- 来世幸福園（霊園）【raise-nasu.kofuku-no-kagaku.or.jp】

来世幸福セレモニー株式会社【03-6311-7286】

株式会社 Earth Innovation【earthinnovation.jp】

社会貢献

ヘレンの会（障害者の活動支援）【www.helen-hs.net】

自殺防止運動【www.withyou-hs.net】

支援活動
- 一般財団法人
「いじめから子供を守ろうネットワーク」【03-5719-2170】
- 犯罪更生者支援

国際事業

Happy Science 海外法人
【happy-science.org（英語版）】【hans.happy-science.org（中国語簡体字版）】

教育事業

学校法人 幸福の科学学園
- 中学校・高等学校（那須本校）【happy-science.ac.jp】
- 関西中学校・高等学校（関西校）【kansai.happy-science.ac.jp】

宗教教育機関
- 仏法真理塾「サクセスNo.1」（信仰教育と学業修行）【03-5750-0747】
- エンゼルプランV（未就学児信仰教育）【03-5750-0757】
- ネバー・マインド（不登校児支援）【hs-nevermind.org】
  - ユー・アー・エンゼル！運動（障害児支援）【you-are-angel.org】

高等宗教教育機関
- ハッピー・サイエンス・ユニバーシティ（HSU）

政治活動

幸福実現党【hr-party.jp】
- <機関紙>「幸福実現NEWS」
- <出版> 書籍・DVDなどの発刊

HS 政経塾【hs-seikei.happy-science.jp】

出版 メディア 関連事業

幸福の科学の内部向け経典の発刊

幸福の科学の月刊小冊子【info.happy-science.jp/magazine】

幸福の科学出版株式会社【irhpress.co.jp】
- 書籍・CD・DVD・BDなどの発刊
- <映画>「UFO学園の秘密」【ufo-academy.com】ほか8作
- <オピニオン誌>「ザ・リバティ」【the-liberty.com】
- <女性誌>「アー・ユー・ハッピー?」【are-you-happy.com】
- <書店> ブックスフューチャー【booksfuture.com】
- <広告代理店> 株式会社メディア・フューチャー

メディア文化事業
- <ネット番組>「THE FACT」【youtube.com/user/theFACTtvChannel】
- <ラジオ>「天使のモーニングコール」【tenshi-call.com】

スター養成部（芸能人材の育成）【03-5793-1773】

入会のご案内

幸福の科学では、大川隆法総裁が説く仏法真理《ぶっぽうしんり》をもとに、「どうすれば幸福になれるのか、また、他の人を幸福にできるのか」を学び、実践しています。

入会

仏法真理を学んでみたい方へ

大川隆法総裁の教えを信じ、学ぼうとする方なら、どなたでも入会できます。入会された方には、『入会版「正心法語」』が授与されます。

三帰《さんき》誓願《せいがん》

信仰をさらに深めたい方へ

仏弟子としてさらに信仰を深めたい方は、仏《ぶっ》・法《ぽう》・僧《そう》の三宝《さんぽう》への帰依を誓う「三帰誓願式」を受けることができます。三帰誓願者には、『仏説・正心法《しょうしんほう》語《ご》』『祈願文《きがんもん》①』『祈願文②』『エル・カンターレへの祈り』が授与されます。

Information

幸福の科学 サービスセンター

TEL 03-5793-1727（受付時間／火〜金：10〜20時 土・日祝：10〜18時）

宗教法人 幸福の科学 公式サイト happy-science.jp

学部のご案内

人間幸福学部

人間学を学び、新時代を切り拓くリーダーとなる

人間の本質と真実の幸福について深く探究し、
高い語学力や国際教養を身につけ、人類の幸福に貢献する
新時代のリーダーを目指します。

経営成功学部

企業や国家の繁栄を実現し、未来を創造する人材となる

企業と社会を繁栄に導くビジネスリーダー・真理経営者や、
国家と世界の発展に貢献し
未来を創造する人材を輩出します。

未来産業学部

新文明の源流を創造するチャレンジャーとなる

未来産業の基礎となる理系科目を幅広く修得し、
新たな産業を起こす創造力と企業家精神を磨き、
未来文明の源流を開拓します。

校舎棟の正面

学生寮

体育館

住所 〒299-4325 千葉県長生郡長生村一松丙 4427-1
TEL.0475-32-7770

大川隆法 製作総指揮
長編アニメーション映画
UFO学園の秘密
The Laws of The Universe Part 0
信じるから、届くんだ。
STORY
ナスカ学園のクラスメイト５人組は、文化祭で発表する研究テーマに取り組んでいた。そんなある日、奇妙な事件に巻き込まれる。その事件の裏には「宇宙人」が関係しており、そこに隠された「秘密」も次第に明らかになって……。超最先端のリアル宇宙人情報満載！ 人類未確認エンターテイメント、ついに解禁！
監督／今掛勇　脚本／「UFO学園の秘密」シナリオプロジェクト
音楽／水澤有一　アニメーション制作／HS PICTURES STUDIO
10月10日、全国一斉ロードショー！
Hi!!!
UFO後進国日本の目を覚まそう!
UFO学園 検索